JN312846

Girls Fashion Style Paris

Introduction

パリの街ですれ違う、おしゃれな女の子たち。
思いがけない色どうしを、カラフルにあわせていたり
さりげないアイテムを、バランスよく着こなしていたり。

お気に入りの洋服の色やモチーフ、コーディネートには
いまの気分やなりたい自分の姿が、自然と表れるもの。
アートに触れたり、読書をしたり、映画を観たり、
日々のできごとが、その人の装いにつながっていく…。
おしゃれを楽しんでいるパリジェンヌたちのアパルトマンは
インテリアにも、ファッションのエッセンスが感じられるはず。

それぞれのファッションに、それぞれのインテリアがあるように。
おしゃれすることは、自分らしい世界を作っていくこと。
パリのモード界で活躍する、女性クリエーターたちの
個性あふれるスタイルが、そんな楽しみを教えてくれます。

ジュウ・ドゥ・ポゥム

Amélie Baudin (P102)

Contents

Irma Birka
イルマ・ビルカ
styliste photo et rédactrice mode　ファッションスタイリスト ・・・・・・・・ 6

Clara Robert
クララ・ロベール
attachée de presse　アタッシェ・ド・プレス ・・・・・・・・・・・・・ 14

Karen Monny
カレン・モニー
créatrice de vêtements et accessoires　ファッション＆アクセサリーデザイナー ・・・ 22

Pauline Jacquard
ポーリーヌ・ジャッカール
artiste-performeuse　アーティスト＝パフォーマー ・・・・・・・・・・・ 30

Valentina Stevens
ヴァレンティーナ・スティーヴンス
créatrice de la boutique Joy　ブティックオーナー ・・・・・・・・・・・ 38

Arianaïs Alezra
アリアナイス・アレゾラ
créatrice des bijoux Naïs Paris　アクセサリーデザイナー ・・・・・・・・・ 46

Sophie Watrelot
ソフィ・ワトルロ
créatrice de Sowat et co-fondatrice de Faithfull　アクセサリーデザイナー ・・・・ 52

Miss Marion
ミス・マリオン
artiste　アーティスト ・・・・・・・・・・・・・・・・・・・・・ 60

Olivia Cognet
オリヴィア・コニエ
créatrice de chaussures　シューズデザイナー ・・・・・・・ 66

Julie André
ジュリー・アンドレ
journaliste　ジャーナリスト ・・・・・・・・・・・・・・・ 72

Caroline Anthon
キャロリンヌ・アントン
co-créatrice des maillots Albertine　水着デザイナー ・・・・・ 78

Nena Woreth
ネナ・ウォレス
créatrice d'Heidi's et des Sacs de Nena　バッグデザイナー ・・ 84

Lisa Paclet
リザ・パクレ
réalisatrice et Live Video-Performer　映画監督＆パフォーマー ・ 90

Delphine Pariente
デルフィーヌ・パリアントゥ
créatrice de bijoux　アクセサリーデザイナー ・・・・・・・・ 96

Amélie Baudin
アメリ・ボーダン
styliste photo et directrice artistique　スタイリスト＆アートディレクター ・・・ 102

Laure Pariente
ロール・パリアントゥ
directrice de création d'American Retro et ZOEtee's　クリエイティヴディレクター ・ 110

Estelle Yomeda
エステル・ヨメダ
créatrice de chaussures　シューズデザイナー ・・・・・・・ 118

色とりどりの花が咲く、お庭のようなクローゼット

Irma Birka

イルマ・ビルカ
styliste photo et rédactrice mode

シャクヤクの赤に、フルーティな黄色、芝生のグリーン。
あざやかな色どうしをミックスするのに夢中というイルマ。
「くもりの日には、カラフルな洋服を」というのが
イルマのファッションのただひとつのルール。
近所のスーパーマーケットまでお買い物に行くときに
パーティにでかけるような恰好をすることも…。
ちょっとハメを外すくらいのほうが、ずっと素敵！
気分にあわせて、思いきり着飾ることを楽しむのが、
イマジネーション豊かなイルマのスタイルです。

雑誌や広告で活躍するスタイリストのイルマは、オベルカンフにあるロフトに暮らしています。以前は電気器具の修理屋さんだったという、むきだしのコンクリートの箱のような空間を見て、自分で住まいを作ることができるチャンスに飛びついたというイルマ。1階にリビングとキッチン、ロフトにベッドルームを作り、地下はバスルームと大きなクローゼットに変身させました。ファッションで色を楽しむ分、インテリアはシンプルな質感と色使いに。クッションなどのファブリックや、棚のディスプレイを変えることで、季節感やいまの気分を表現しています。

左：撮影のためにセットデザイナーが作った、円形の棚を引き取ってリビングに。右上：サイクリング用の「セリーヌ」の帽子と、オーストリアで70年代に作られたスキー・ゴーグル。右下：マリリン・モンローの写真集の前に並ぶのは、「ソニア・リキエル」のバラのブローチと、ミラノで見つけた個性的な靴。

左上：イルマのあこがれの存在のオードリー・ヘプバーン。左中：アシスタントを経験した「エルメス」の思い出のスカーフ。右上：「ハビタ」とカルラ・ブルーニがコラボレーションした限定ハンモックチェアのそばに立つイルマ。ニットワンピースは「ソニア・リキエル」。左下：窓辺のローカウンターの中は、本と靴がずらり。右下：才能豊かな女性デザイナーによる「ヴァヴァ・ドゥドゥ」の靴。

ダイニングには「カッペリーニ」のクローバー型テーブルと、大きな白いシェードのランプ。
ベッドルームになっているロフトの下は、洋服を整理するバーが取り付けられています。

 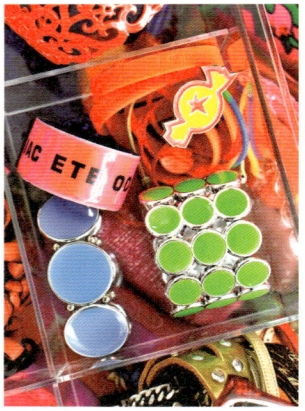

左上：スカーフやアクセサリーなどの小物は色ごとに、中がよく見える透明の引き出しに整理。右上：アクセサリーはどんなスタイルにも対応できるように、さまざまなタイプを揃えて。左中：お気に入りのメイク用品は「MAC」のルージュと「ディオール」のアイライン。左下：「シャネル」のショーで座席に置かれていたクッション。右下：お気に入りの膝下丈の女性らしいシルエットのワンピースがずらり。

左上：アパルトマンの入り口そばに設けたパソコン・コーナー。壁にはショーの招待状をピンナップ。**右上**：毎年ヴァレンタインの時期に売り出されるハート型のデザイナーズ切手は、手紙を送るときに。**右中**：愛をテーマにコラージュしたイルマの手づくりスツール。**左下**：コレクションしている、がま口ポーチのカスタマイズを計画中。**右下**：イルマがスタイリングを手がけたファッション・ページ。

ファッションは、インテリアのインスピレーション

Clara Robert

クララ・ロベール
attachée de presse

アパルトマンの壁面をペイントするときに
クララが、アクセントに取り入れたのはシックなグレー。
お部屋にあった、ディオールのショッピングバッグに
インスピレーションを受けて、色を調合しました。
白と黒、そしてグレーやトープ色というカラーリングは
彼女のクローゼットの中の洋服たちとそっくり。
あこがれの写真家のファッション・フォトを飾ったり
お気に入りのブランドのバッグを小物入れにしたり
インテリアにも、モードの香りをただよわせています。

パリ生まれのレディースブランド「クーカイ」のプロモーションを担当するアタッシェ・ド・プレスのクララ。シーズンのトレンドや、雑誌で取り上げられるテーマを見守り、プレスルームにやってきたスタイリストたちと話しあって、新しいスタイルづくりに参加できることは、彼女の大きな喜びです。普段のファッションでは、楽しく見せることがいちばんというクララ。お気に入りのモチーフはリボン、色ではグレーに、黒、白、ベージュ、プルーン、そしてローズ。自分の好きなものに囲まれて、ファッションもインテリアもエレガントにまとめています。

左：ソファーの上には、パトリック・ディマシェリエの写真集から選んだお気に入りの2枚をディスプレイ。**右上**：おばあちゃんから譲り受けたクリスタルのカラフェの横には、大好きな「ラデュレ」のマロングラッセの香りのキャンドル。**右下**：ママからプレゼントされたヘルムート・ニュートンの写真集。

左上：「H&M」で見つけたシルクブラウスは、ヌーディ・ピンクの色合いもウェストのリボンもお気に入りの1着。左中：リビングの壁にアクリルボックスを取り付けて、クララの好きなものを並べたショーケースに。右上：オードリー・ヘプバーンのパネルは「イケア」で。左下：ボルサリーノ帽に、シャネルのブローチをあしらって。右下：大切にしている2つのリング。

左上：舞妓さんの写真の前には、ウィンドウ・ディスプレイ用に作られた紙製のハイヒール。**左中**：イメージ・ボードを作るために、描いたデッサン。**右上**：ダイニングにあるデスクでは、雑誌のスクラップブックや、着こなしの参考にするためのノートを作ります。**左下**：シロクマのぬいぐるみも、帽子とレオパード柄マフラーでクールに変身。**右下**：友だちからプレゼントされたデミタスカップ・セット。

上：白をベースに、黒とパープルを取り入れた落ち着きのあるベッドルーム。よく身につける洋服は、いつも目に入るラックに色ごとに並べています。左下：ずっとあこがれていた「シャネル」のバッグは、家族と友だち、みんなで一緒にプレゼントしてくれた大切なもの。右上：ベッドのそばに置かれた、ファッションとインテリアの雑誌。右下：コーディネートしやすいよう靴は洋服ラックの下に。

左上：『ラ・プチット・ローブ・ノワール』はバイブル的な1冊。最近お気に入りの香水は「マーク・ジェイコブス」のデイジー。左中：白いジャケットにイミテーション・パールのネックレスをあわせて。右上：ミラー素材のチェストに、のみの市で見つけたオーバル型ミラーをのせてドレッサーに。左下：さまざまな香水が並ぶバスルーム。右下：「ニュールック」の靴は、ディスプレイとして楽しんでいます。

さまざまな色や柄が奏でる、未完成のシンフォニー

カレン・モニー
créatrice de vêtements et accessoires

ビーズにモスリンなど、素材の組みあわせが楽しい
存在感のある、個性的なアクセサリーを手がけるカレン。
ハンドソーイングで仕立てられた50年代のワンピースに
黄色い花びらを1枚ずつ、つないだようなスカーフ、
そして、赤いフレームがキュートなめがねをかけて。
モチーフや色をミックスしたコーディネートが好き。
カレンにとって、不揃いなこと、未完成さは大きな魅力。
コーディネートは、いつまでも終わらないゲームのよう。
いろいろな個性が出会うことで、新しい心が宿ります。

モントルイユのロフトに暮らす、ファッションデザイナーのカレン。以前はパリ市内の小さなアパルトマンで作品づくりをしていたので、「本物のアトリエ」が欲しいと思い続けていました。ほんの何駅かパリから離れただけで出会うことができた、広々としたスペースをリフォームして、アトリエ兼住まいに。庭に広がる緑がよく見渡せるアトリエから、小さな廊下を抜けると、さまざまなデザインの家具が集まるリビングがあらわれます。どこにいるか分からない、どこでもない場所。そんなミックス・スタイルの空間がカレンのイマジネーションを大きく育んでいます。

左：アンティーク屋さんをしている弟が見つけてくれた60年代のカップボードは、ご主人のドミニクが水色にペイントしました。右上：2005年に手がけたカレンのネックレス「トリトン」は、ヴァカンス先でひろった貝がらがインスピレーション。右下：よく遊びにやってくる、お隣のネコのショージー。

左上：髪には「ハイブリッド・フラワー」と名付けたバレッタ、シルクサテンのトップスは2010年の春夏コレクション。**左中**：ブラウスの下には、お気に入りのブランド「アナベル・ウィンシップ」の靴。**右上**：ジャケットとシャツのコーディネートは、50年代スタイル。**左下**：アーティストのオレリー・マチゴが手がけたニットのケーキを飾って。**右下**：愛用のメイク用品と「アニック・グタール」の香水。

たくさんの植物を取り入れたリビングは、室内ガーデンのよう。アフリカのプラスチック・カーペットの上に、さまざまな形のノスタルジックなデザインのソファーが集まります。

上：アトリエの壁は、カレンの作品が紹介された雑誌の記事でパッチワークのように埋め尽くされています。左下：ヴィンテージショップで偶然見つけたこのワンピースがきっかけで、カレンは50年代に手縫いで仕立てられたワンピースを集めるように。右中：インスピレーションを感じた写真をピンナップ。右下：作品の収納用に「ショコラ・メニエ」の木のコンテナをリサイクル。

左上：刺しゅうをほどこしたフランス軍のジャケットは、ヴィンテージをリメイクするカレンのコレクション「VVV」から。あざやかなグリーンのコートもヴィンテージの1着。右上：ドミニクが仲間たちと集まって開催するガレージセールの案内カード。右中：ファッションにまつわるアイデアノート。右下：ハンガーに黒板をはさんだネームプレート。左下：ロココ時代の画家、アントワーヌ・ヴァトーの絵画をモチーフにした作品。

ワードローブからつむぎだされる、おとぎ話

Pauline Jacquard

ポーリーヌ・ジャッカール
artiste-performeuse

レースや刺しゅうをたっぷりあしらったドレスを着て、
髪に大きなリボンをあしらった、お人形さんみたいな女の子。
子どものころからポーリーヌは、古いオブジェや洋服が大好き。
おばあちゃんの家の屋根裏で、お姉ちゃんと一緒に
古い洋服をひっぱりだしては、変装ごっこをしていました。
大人になったいまも、クローゼットの中はヴィンテージの宝箱。
おしゃれの秘密は、キャラクターに完全になりきること。
このドレスにふさわしい、アクセサリーやヘアスタイルは？
ポーリーヌの新しい物語は、1枚の洋服からはじまります。

子どものころからあこがれていたファッションの仕事にたずさわりながら、自分の世界を表現するアート・パフォーマンスをスタートさせたポーリーヌ。友だちの代役を引き受けたことが、ショーに出演するようになったきっかけ。ライブパフォーマンスや映像作品で、ポエティックでゆかいなオリジナル・ストーリーを演じています。いつもモードを意識しているポーリーヌが自ら手がけるコスチュームをはじめ、キュートなファッションもパフォーマンスの大きな魅力。クリエーターたちにも注目され、「ソニア・リキエル」や「バレンシアガ」の発表会でショーを行いました。

左：ペットのインコが暮らす鳥かごは、友だちがプレゼントしてくれた60年代のもの。鳥かごの脚はガーデン用のポールをペイントして、ラメをちりばめました。右上：40年代に作られたセルロイド製のブレスレット。右下：頭の中に浮かんだイメージを描き留めた、デッサンの数々。

左上：チロリアンなイラスト入りバッグと、家族の写真が入った木箱。左中：パフォーマンスのために作った稲妻を鳥かごに飾って。「クリスチャン・ルブタン」のハイヒールは、パパからの贈りもの。右上：ユニフォームのようなコーディネートは、昼間のお出かけスタイル。左下：ヴィンテージのランジェリー・コレクション。右下：マニキュアが好きで、10本の指すべてに違う色を塗ることも。

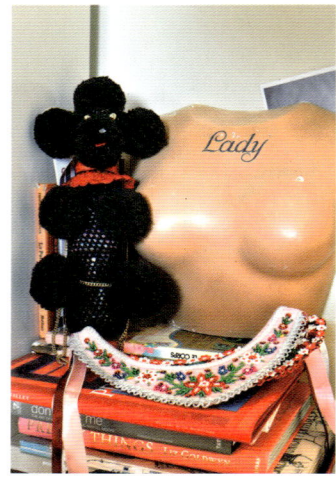

左上：玄関ホールは、まるでヴィンテージショップのよう。右上：ランジェリー用のマネキンに、プードルのぬいぐるみボトル・ケース、そしてハンガリーみやげのヘッドドレス。右中：50年代にアメリカで作られたバッグは、ネットオークションで。左下：子どものころ海辺で拾った貝がらをペイントして、ネックレスを手づくり。右下：貝がらがあしらわれたアクセサリーボックス。

ディスプレイ用のアーチに、チャイナタウンで見つけたプラスチックのフルーツと葉っぱをあしらって、ロマンチックなベッドルームに。ワンピースは「フィビ・シャシュニル」のもの。

左上：「ニュールック」の水玉ワンピースは、背中にハート型のカッティングが入っているところがお気に入り。右上：夏にヘアアレンジするときに活躍するヘッドドレス。右中：フォークロアにひかれるポーリーヌが、のみの市でひとめぼれしたドイツ・スタイルの人形。左下：陶器の人形が入ったガラスドームに、ティアラを飾って。右下：夢中になっているヴィンテージ・バッグの数々。

左上：ドレッサーの上には、コレクションしているティアラがたくさん。右上：貝がらや花は、大切なインスピレーションソースたち。左中：ヴィンテージの傘は、アクセサリー代わり。左下：ラメをあしらったり、リボンをつけたり、カスタマイズしたハイヒール。右下：のみの市で見つけた鏡で飾り付けたドレッサー。家具も自分らしいスタイルにリメイクするのが好き。

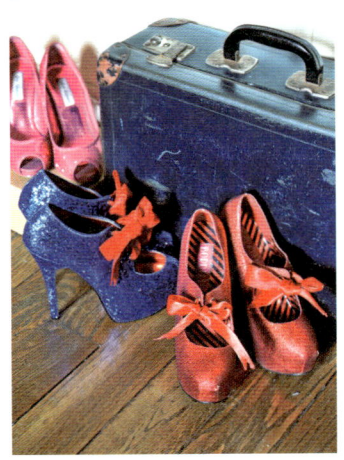

イマジネーションのおもむくまま、自由にジョイフルに

Valentina Stevens

ヴァレンティーナ・スティーヴンス
créatrice de la boutique Joy

お気に入りの小説や、詩のフレーズを引用したり、
こころに響いた、ことばを書き残したり。
壁のあちこちに、暗号のように書かれたメッセージと
思い出の写真や、雑誌の切り抜きのコラージュ。
アパルトマンは、まるでヴァレンティーナのダイアリー帳。
美しくしたいというよりも、ただただ自分の思うままに。
いつでも、どこでも好きなものを眺めていたい…。
ファッションも、自分のインスピレーションを信じて。
なににもしばられない自由が、いちばん大切です。

NEVERMIND
All WoRK AND NO PlAY MAKE JACK A DUll BoY
SENTo SAlIRE Gli SPIRITI
VIDI COR MEUM
HARD DECO
LEWIS CARROLL
Camera Work
A.P.C.
PUNK
CHATS
MONACO MONTE-CARLO

ヴァレンティーナが立ち上げた「ジョイ」は、彼女自身が欲しいと思った洋服やアクセサリーが集まるセレクトショップ。「だから私の理想のクローゼットは『ジョイ』なの」というヴァレンティーナ。お店と同じマレ地区にある、古いアパルトマンの最上階の部屋が彼女の住まい。ドアをあけると、ロマンチックなデコレーションをほどこされたクローゼットが目に入ります。古い壁紙のバラの切り抜きを貼り、内側はピンクにペイントして、棚板をリバティ柄の生地でカバー。ヴィンテージからデザイナーの洋服まで、インスピレーションを受けた洋服たちが美しく並んでいます。

左上：ヴェネチアンガラスのワイングラスは、のみの市での掘り出し物。左下：お気に入りのブランドのひとつ「マーク・バイ・マーク・ジェイコブス」のTシャツを着て。右上：セピアカラーの写真のそばには、ヴァレンティーナが手がける「イリス＆ジョイ」のネックレス。右下：アポイントをすべて書き込んでいる手帳と、インスピレーションソースのイメージたち。

左上：愛用の「クロエ」のフレグランスと「ゲラン」のカラーパレット。右上：おじいちゃんから譲り受けたランプを、家族の写真やコサージュでデコレーション。左中：「クロエ」のサングラスをしまうのは、ゴールドのレザーポーチ。左下：お花やリボンなどのヘアアクセサリーは「ミュウミュウ」の箱に。右下：ドレッサーを中心に、写真やイラストなど心に残るイメージで埋め尽くされた壁面。

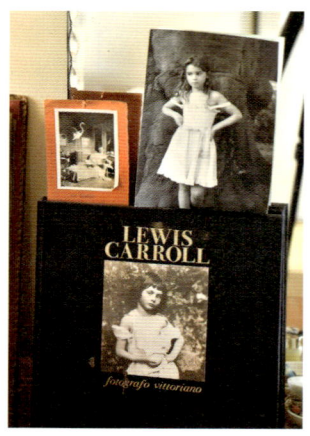

左上：クローゼット脇には、両親からもらった版画とフレーム、そして大好きな映画「タクシードライバー」をイメージさせるファッション・フォトをディスプレイ。右上：ルイス・キャロルの写真集。右中：クリエーションのアイデアをメモした秘密のノート。左下：両親から譲り受けた食器。右下：1830年代のティーポットは、まるで「不思議の国のアリス」のティーパーティのよう。

ショップのディスプレイのように、美しく洋服が並ぶクローゼット。お気に入りの靴は、ヒールが高くても歩きやすいウェッジソールや足首にストラップがあるモデル。

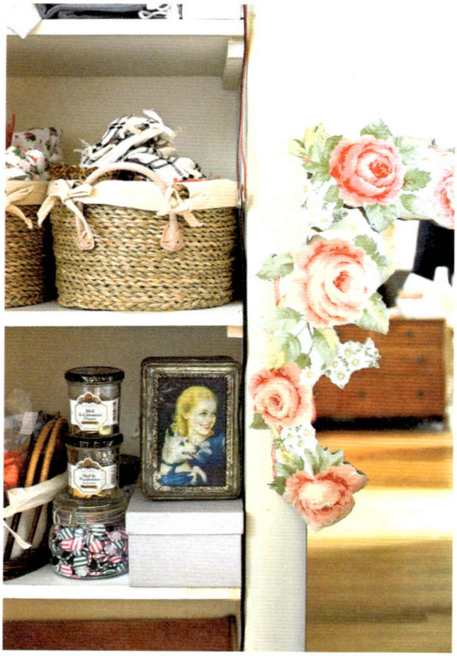
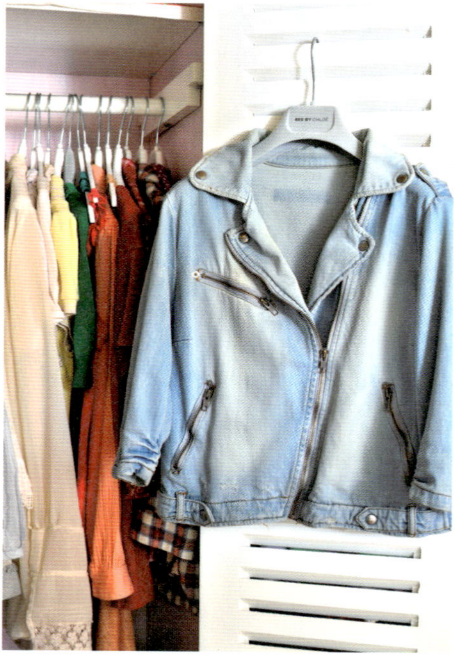
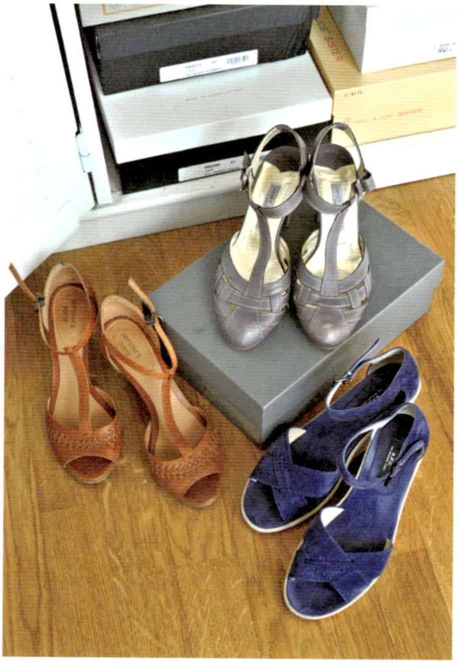
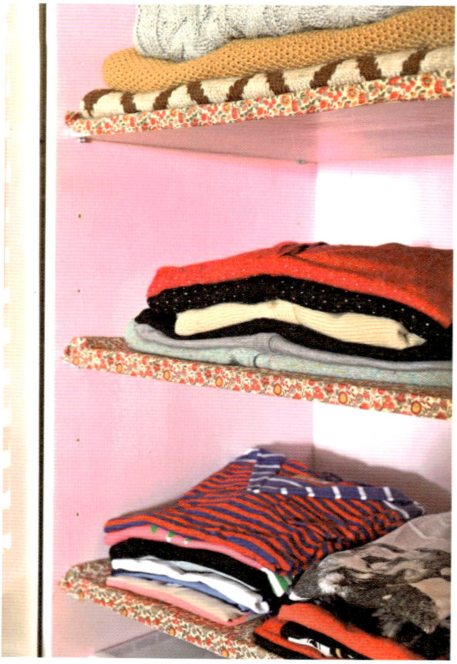

左上：ベッドのそばに飾ったルイス・キャロルの写真は、眺めるとほっとする1枚。左中：大好きなおじいちゃんと文通した手紙の束は、大切にリボンをかけて。右上：キャロル・ベイカーの主演映画「ベイビードール」のポスター。左下：ヴァレンティーナにとって大事なアーティストのひとり、ミュシャの作品を集めたコーナー。右下：家族代々で受け継がれてきたジュエリーボックス。

シンデレラにドロシー、魔法の靴にみせられて

Arianaïs Alezra

アリアナイス・アレゾラ
créatrice des bijoux Naïs Paris

ヒールの高い靴をコレクションしているアリアナイス。
シンプルなパンプスに、ミュール、バックストラップなど
さまざまなデザインと素材の靴をずらりとディスプレイ。
ちょっと待って！と、テーブル代わりにしている
トランクからも、お気に入りの靴がたくさん出てきます。
のみの市で探すヴィンテージに、プチプライスの掘り出し物。
ボリュームのあるスカートをはいた脚を美しく見せるし
そのフォルム自体がきれいで、アート作品のよう。
ハイヒールは、アリアナイスを夢中にさせる魔法の靴です。

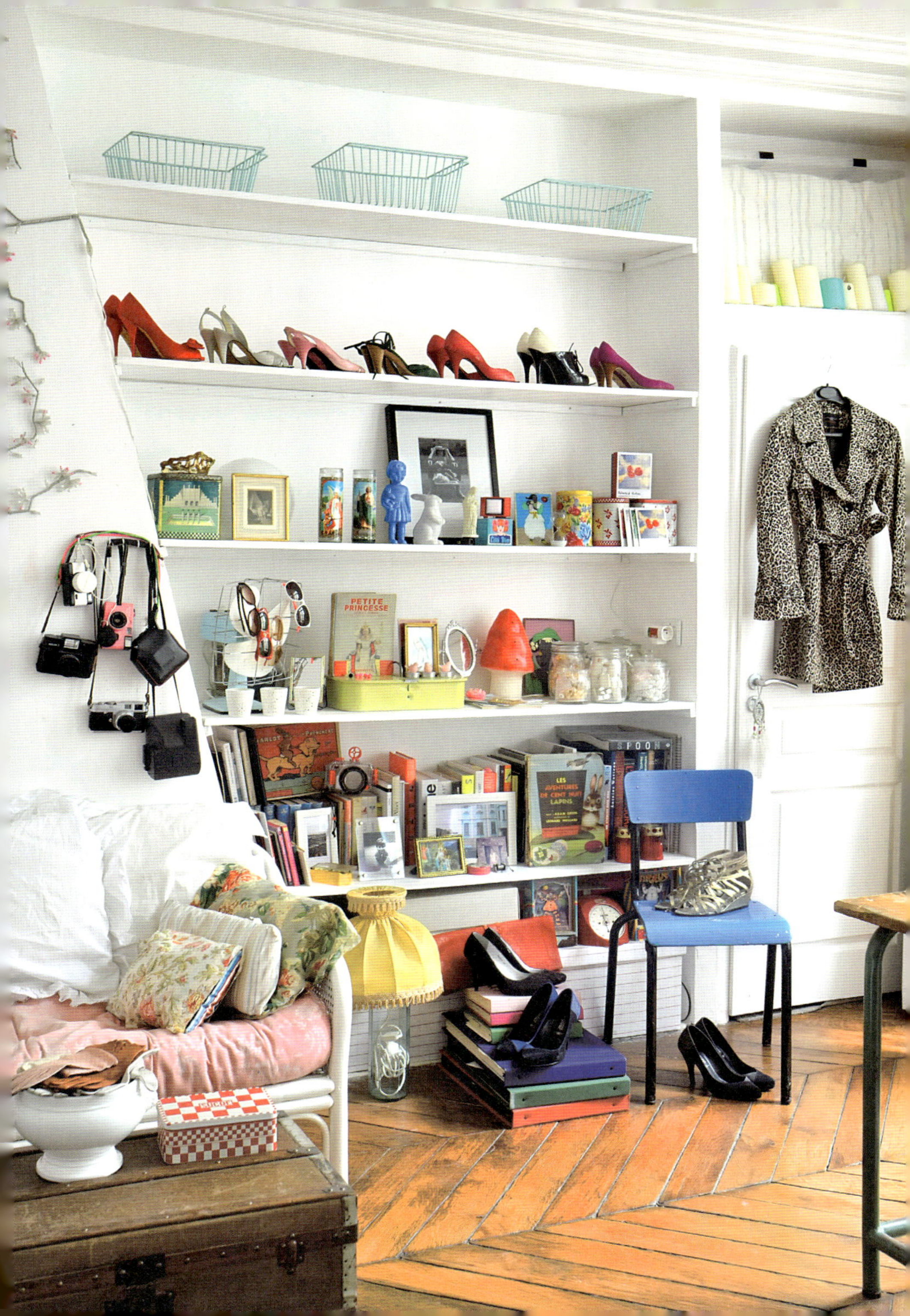
PETITE PRINCESSE
SPOON

マレ地区にあるアパルトマンに、高校生のころからずっと暮らしているアリアナイス。気分を変えようと引っ越しを考えることもあるけれど、パリ市内のどこにでも自転車で行ける環境と、天井が高くて広いスタジオ・タイプのこの部屋は、やっぱりお気に入り。住まいの一角は、アクセサリーを手がけるアトリエ・コーナー。のみの市で見つけた古いおもちゃや、夢をインスピレーションにした、ファンタジーあふれるコレクションを生み出しています。いつもの洋服にキュートさをプラスする「ナイス・パリ」のアクセサリーは、コーディネートの仕上げになる大切なスパイスです。

左:お気に入りのレオパード柄コートは「ニュールック」。鏡にディスプレイした靴は、のみの市で。右上:メッシュ状のメタル・プレートで作ったリボンをあしらった「ナイス・パリ」のブレスレットを手に。右下:ブリュッセルで手に入れたクッションの前に置いた靴は、自分へのクリスマスプレゼント。

左上：青白く光るマリアさまやリオ・デ・ジャネイロの風景が見えるテレビ型スコープなど、キッチュなオブジェが好き。左中：子ども用のタイプライターは、きれいな水色にひかれてチャリティーショップで。右上：白鳥のプリントが気に入っている「トップショップ」のワンピース。左下：トランクをあけると、たくさんの靴！右下：50年代スタイルの手袋も大切なコレクション。

ブランド名の「ナイス」はアリアナイスのニックネームから。アトリエ・コーナーは、蛍光ピンクにペイントしたテーブルの脚が、インテリアのアクセントになっています。

上：リボンをモチーフにしたブレスレットや指輪、ピアスなど、新しくコレクションに加わった作品たち。左中：カラフルな色が大好き。あざやかなピンクのマニキュアだけでも、こんなにたくさん。左下：新作の貝がらモチーフ、そしてねこやふくろうなどの動物ピンズ。右下：パパやママ、そして兄弟が撮影した証明写真を集めて、大きな額に並べてディスプレイ。

すべてのアイテムに息づく、ストーリーを大切に

Sophie Watrelot

ソフィ・ワトルロ
créatrice de Sowat
co-fondatrice de Faithfull

鳥や羽根、ちょうちょなど、「飛ぶ」ことに関わる
シンボルにひかれる、アクセサリーデザイナーのソフィ。
その中でも羽根は、パートナーと出会ったときに
ふたりを結びつけてくれた、思い出深いモチーフ。
つばさのように、両袖にたっぷりフリンジがついた
お気に入りの黒いシルクのチュニックは
友だちのブランド「J ドーファン」のアイテム。
物語やヒストリーを語り、だれかを魅了する…
ソフィにとってファッションは、お芝居のようなもの。

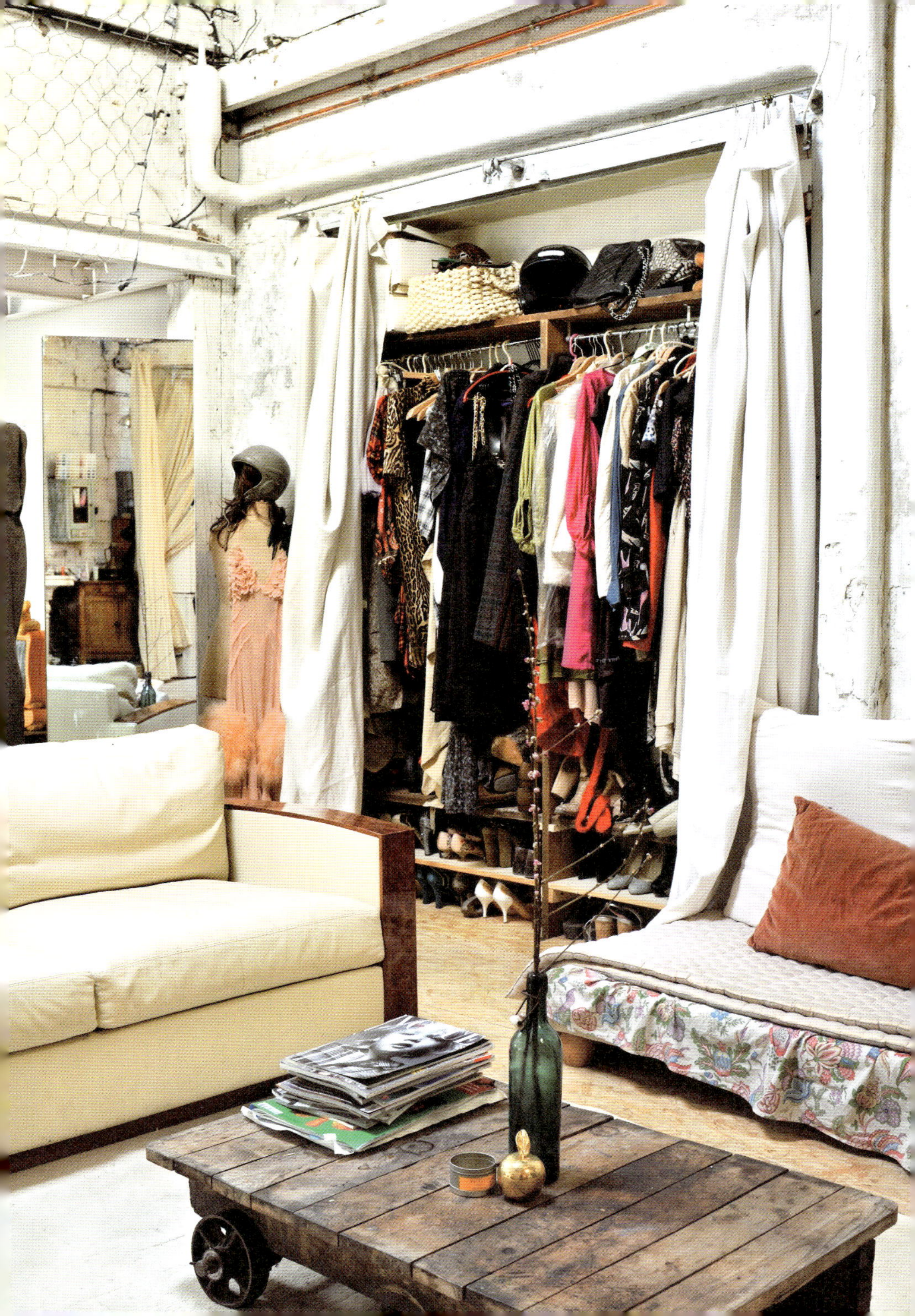

「ソーワット」と「フェイスフル」2つのアクセサリーブランドを手がける、ソフィのアトリエ兼住まいは、ペール・ラシェーズ墓地のほど近く。以前は倉庫や木材の加工場だった建物で、広々としたスペースとブロックがむき出しになった壁面を見たときに、こころに震えを感じたというソフィ。ペンキがはげたあとやキズ、さびついた鉄などは、建物や家具にも命があって歴史を持っているということが感じられる痕跡。そんなオブジェが持つ物語に感動するというソフィは、ファッションでも、作り手の思いが感じられるもの、個性が表現されているものを選んでいます。

左：トルソーがまとうドレスは「ソニア・リキエル」のヴィンテージ。破れているので着られないけれど、飾るだけで満足させてくれる1着。右上：オーストラリアみやげのカウボーイ・ハットは、色合いにひかれて。右下：繊細なストラップが美しい、シルクのサンダルは「プラダ」。

左上：30年代にホテルのバスルームで使われていたT字型のミラー。イームズのロッキングチェアに、やしの木のランプ、脚のオブジェなど、どれも個性的なデザイン。右上：友だちと一緒に「フェイスフル」を立ち上げたばかりのソフィ。右中：つばさモチーフのブレスレットは「ソーワット」の人気アイテム。左下：ちょうちょをあしらったカチューシャ。右下：大事な赤い靴コレクションは、トランクの中に。

左上：ルネッサンス時代の画家、フラ・アンジェリコの複製画。右上：レオパード柄または黒いドレスにあわせる「ミュウミュウ」のチョーカー。「ザ・スピリット」と名付けた羽根型ペンダントは「ソーワット」のもの。左下：画家の友だちキャロリーヌ・ドウマンジェルが手がけたパーテーション。右中：空までかけあがるかのような木馬は、のみの市で。右下：マニッシュな帽子は、あえてフェミニンな洋服に。

左上：アトリエでは、リラックスできるコーディネートで。レザーサンダルは「ソーワット」、ブルーのトップスはいつか商品化したいと考えている試作品。右上：レザーサンプルの上には、「ソーワット」のシンボル、羽根のモチーフ。右中：フランスでいちばん大きなプレス加工のメゾンが手がけた真鍮の鳥たち。左下：郵便局が使う大きな布袋を小物入れに。右下：果物用の木箱に洋服を整理。

左上：オーバーオールに、シルクハット、ヴィンテージのランジェリーという、ミックス・コーディネートをディスプレイ。右上：香りに癒される「サンタ・マリア・ノヴェッラ」のリリーウォーター。右中：いつも荷物が多いソフィが、自分のために作った大きなバッグ。左下：ドアの飾り用ミラーをたくさん並べて。右下：バンビの調味料入れはガレージセールで。ティーカップはポルトガルみやげ。

リビングにむかってオープンになったバスルームは、まるで演劇の舞台セットのよう。水回りの配管工事から、パイプをリサイクルしたタオルかけまで、すべて自分で手がけた空間。

エレガントで魅惑的、グラマラスな女優スタイル

Miss Marion

ミス・マリオン
artiste

ローレン・バコールやリタ・ヘイワースのような
グラマラスな魅力あふれるハリウッド女優がアイコン。
マリオンはパフォーマンスやコラージュ、映像作品など
さまざまな形で、表現に取り組むアーティスト。
パフォーマンスと同じく、普段のファッションから
コケティッシュなファム・ファタル・スタイル。
おしゃれでは、色の組みあわせをポイントに
トップとボトムのボリュームに、メリハリをつけて
バランスよく、魅力的なシルエットを演出しています。

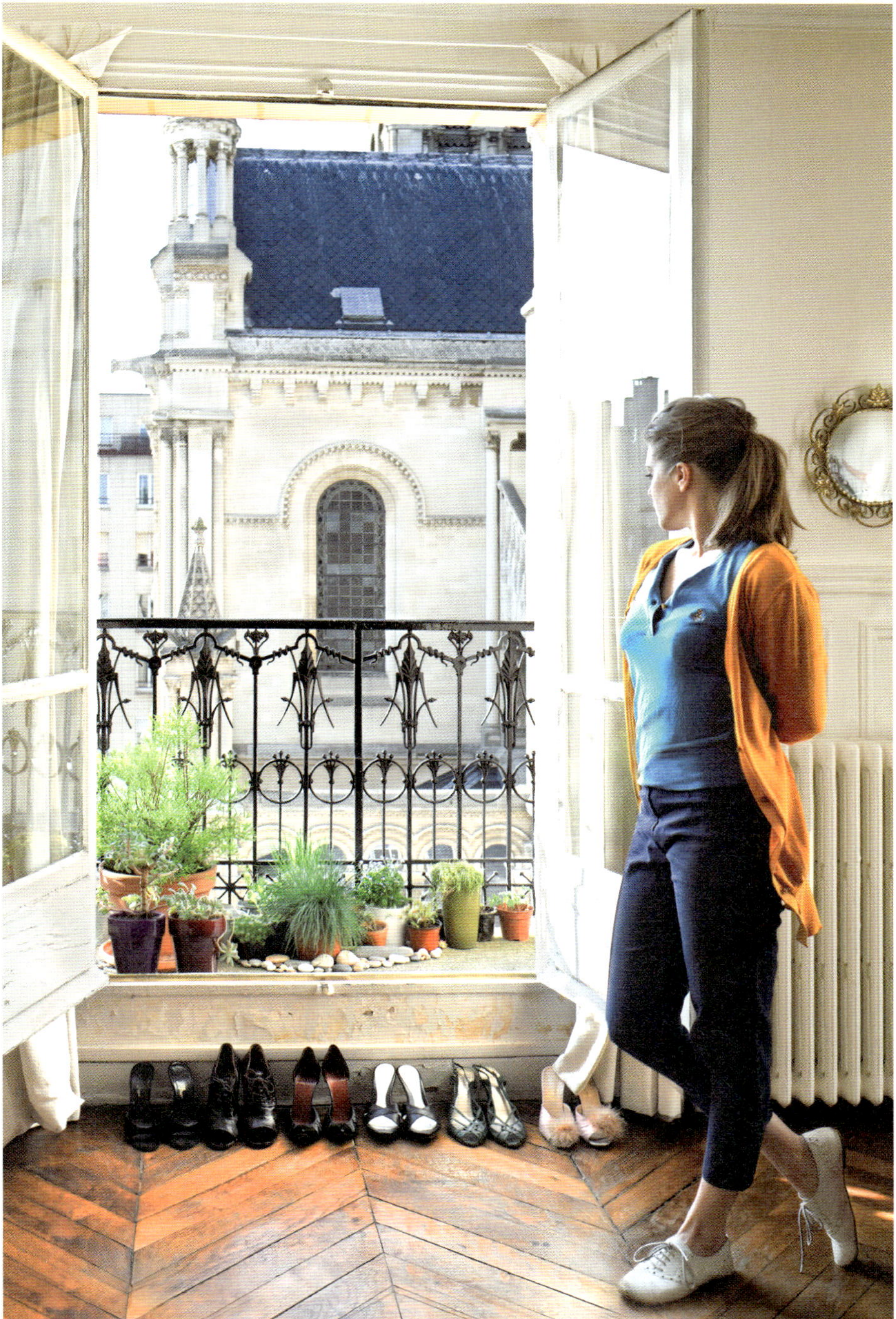

マリオンの住まいは、美しい教会と広場のすぐ隣に建つ、1900年代築のアパルトマン。エレベーターがないので、部屋がある6階まで階段を使うのが、脚のラインを美しく保つ秘けつというマリオン。彼女のファッション・スタイルを明確にしてくれたのが、プレスを担当している「ヴィヴィアン・ウエストウッド」との出会い。自分の女性らしさを受け入れ、よりエレガントで魅力的なコーディネートを心がけるようになりました。そんなマリオンのお気に入りは、膝上丈のペンシル・スカート。ウエストとヒップの美しいラインが出るので、彼女のスタイルによくあうアイテムです。

左:「ヴィヴィアン・ウエストウッド」ゴールド・レーベルのスカートと、アングロマニアのブラウス。大事なときに着る、お気に入りのコーディネート。右上：50年代のシルク・ガウンは、パフォーマンスのときのコスチューム。右下：デコラティブなつけまつげでゴージャスに。

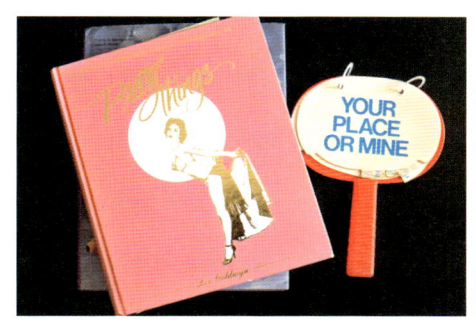

左上：アメリカのバーレスクについて書かれた『プリティ・シングス』は、著者のサイン入り。右上：まん中の「ミュウミュウ」の靴は、アクセサリーのような美しさでいちばんのお気に入り。左中：手づくりすることも多い、パフォーマンスの小道具。左下：ピンク色のノートは、作品づくりのために。右下：個性的なコンセプトを持つ「ヴィヴィアン・ウエストウッド」のジャケット「パズル」。

左上：シド・チャルシーのポストカードの前には、「ソニア・リキエル」のヘッドドレス。右上：旅先から持ち帰った、小さな思い出の品たち。左中：作品のためのアイデアがびっしりと書き込まれたノート。左下：プリントを手がけたカーテンと「ピエール・アルディ」の靴。右下：クローゼットには、マリオンがコラボレーションしたティエリー・ヴァシュールによる大判のコラージュ作品も。

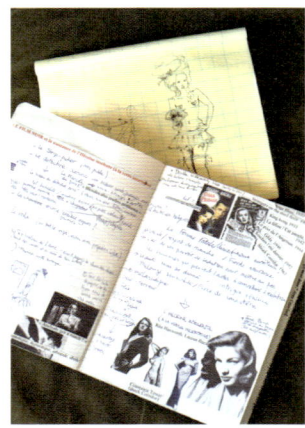

リビングにある赤くペイントした本棚の中には、愛読書というハリウッド女優の伝記をはじめ、映画の本や写真集などがたくさん。

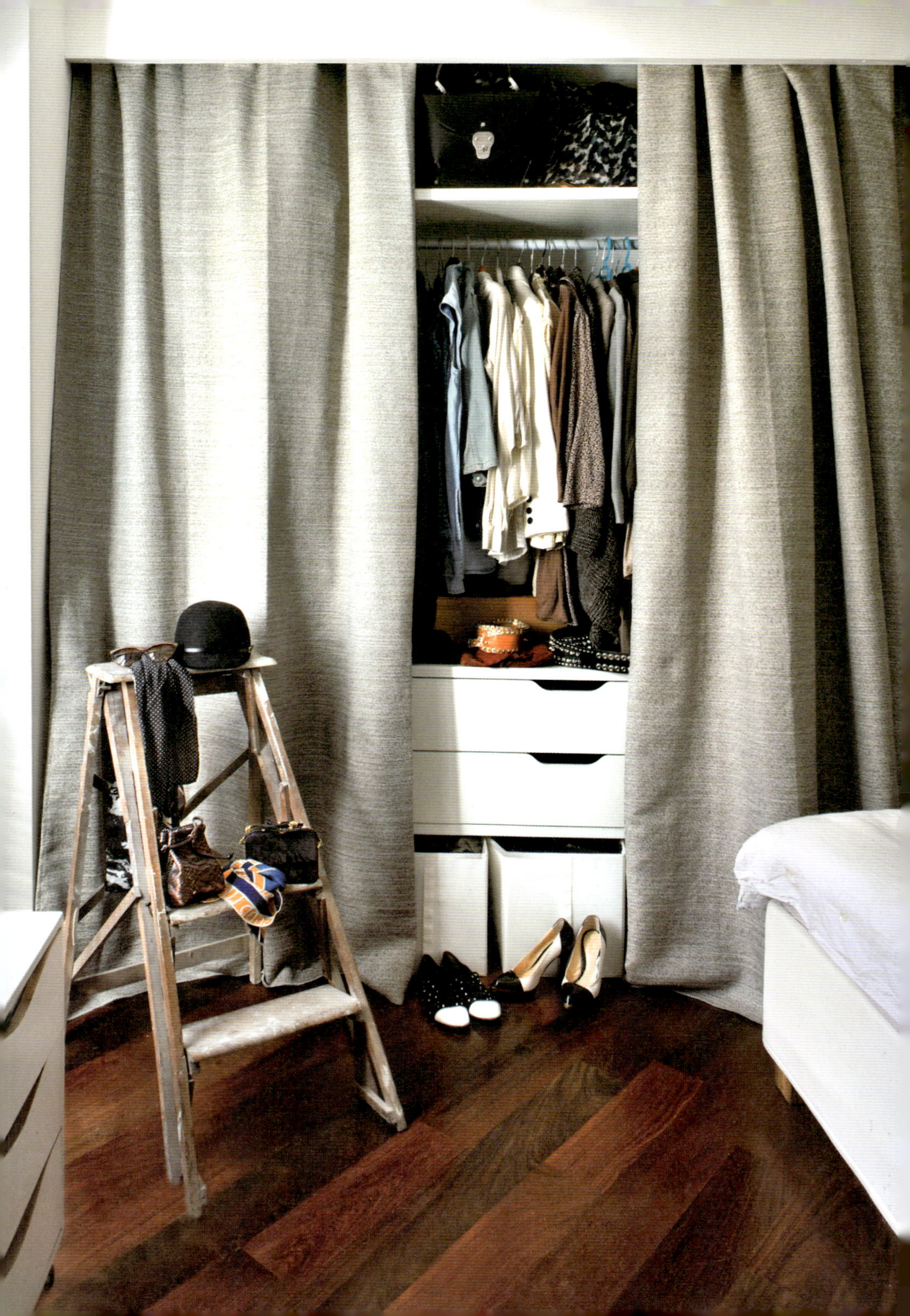

ファッションの夢がふくらむ、ベッドルーム

Olivia Cognet

オリヴィア・コニエ
créatrice de chaussures

ビストロやバーがテラス席を出す広場に面した窓から
町のにぎわいが感じられる、オリヴィアのアパルトマン。
引っ越してきたときは、床がそりかえり、壁紙がはげて
ボロボロになっていたという部屋を、自分でリフォーム。
まず、はじめに思いついたアイデアが、洋服や小物を
たっぷりと収納できる、大きなクローゼットを作ること。
ベッドルームの壁一面を、カーテンでおおうようにして
その中にバーを渡し、引き出しや棚を取り付けました。
カーテンをあければ、寝室はドレッシングルームに変身です。

学生のころから、自分のクリエーションに取り組みはじめたという、ニース出身のオリヴィア。パリに出てきたころは、のみの市で見つけたアイテムを素材にした一点もののバッグを手がけていました。そして、21歳のときに「カステルバジャック」にデッサンを見てもらったのをきっかけに、靴や手袋などをデザインする小物部門のディレクターに大抜擢。その後いくつかのブランドを経て、いまフリーのデザイナーとして、さまざまな企画に参加しています。構造や加工技術に興味があるというオリヴィア。デザイン事務所にいるよりも、アトリエや工場をたずねることが楽しみです。

上：ベッドルームのドアに取り付けたフックには、「クロエ」のトップスと「ソニア・リキエル」のワンピースなどお気に入りの洋服たち。左下：キッチュなアクセサリーをコレクションしているオリヴィア。右下：パパがのみの市で見つけてくれたサングラスと、サイクリング用の帽子。

左上：スタイルよく見せてくれる黒が好きというオリヴィア。左中：形が気に入っている「イヴ・サン＝ローラン」の靴と、愛用している「ソニア・リキエル」のバッグ。右上：チャリティーショップで見つけた美しい鏡にかけたワンピースはロンドンで。左下：ひきだしの中には、たくさんのヴィンテージ・バッグ。右下：『シューズ・ヴィンテージ』は、インスピレーションのかたまりのような本。

キッチンがある場所は、リフォーム前はバスルームだったのだそう。仕切りを取り払って、リビングにつながる、開放的なオープンキッチンを作りました。

左上：のみの市でフレームとちょうちょの標本を探し集めて、手づくりした壁飾り。**左中**：ダイニングテーブルの上には「LU」のビスケット型プレート。**右上**：ネットオークションで見つけたデスクが、自宅でのアトリエ・スペース。**左下**：オリヴィアがデザインしたサンダルのデッサンと、インスピレーションをコラージュしたノート。**右下**：デザイン事務所のために描いたイラスト。

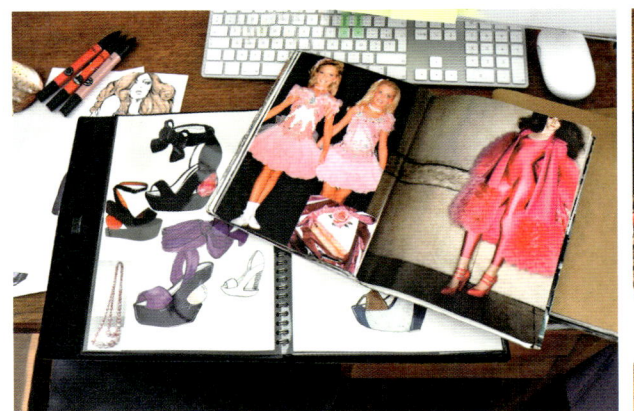

ベーシック・アイテムで作るリラックス・スタイル

Julie André

ジュリー・アンドレ
journaliste

シックなセレクトショップや、高級メゾンのブティックが
建ち並ぶ、パリでもとてもモードなサントノレ通り。
ジュリーが暮らすのは、この通り沿いのアパルトマン。
プレス・オフィスやショップが集まる、このカルチエは
ファッションやカルチャーのジャーナリストとして活躍する
ジュリーにとって理想的で、隅々まで慣れ親しんだ場所。
ファッションのニュースやトレンドを取り上げる一方
普段はベーシックで、カジュアルなアイテムが好き。
リラックスできるシンプル・スタイルが定番です。

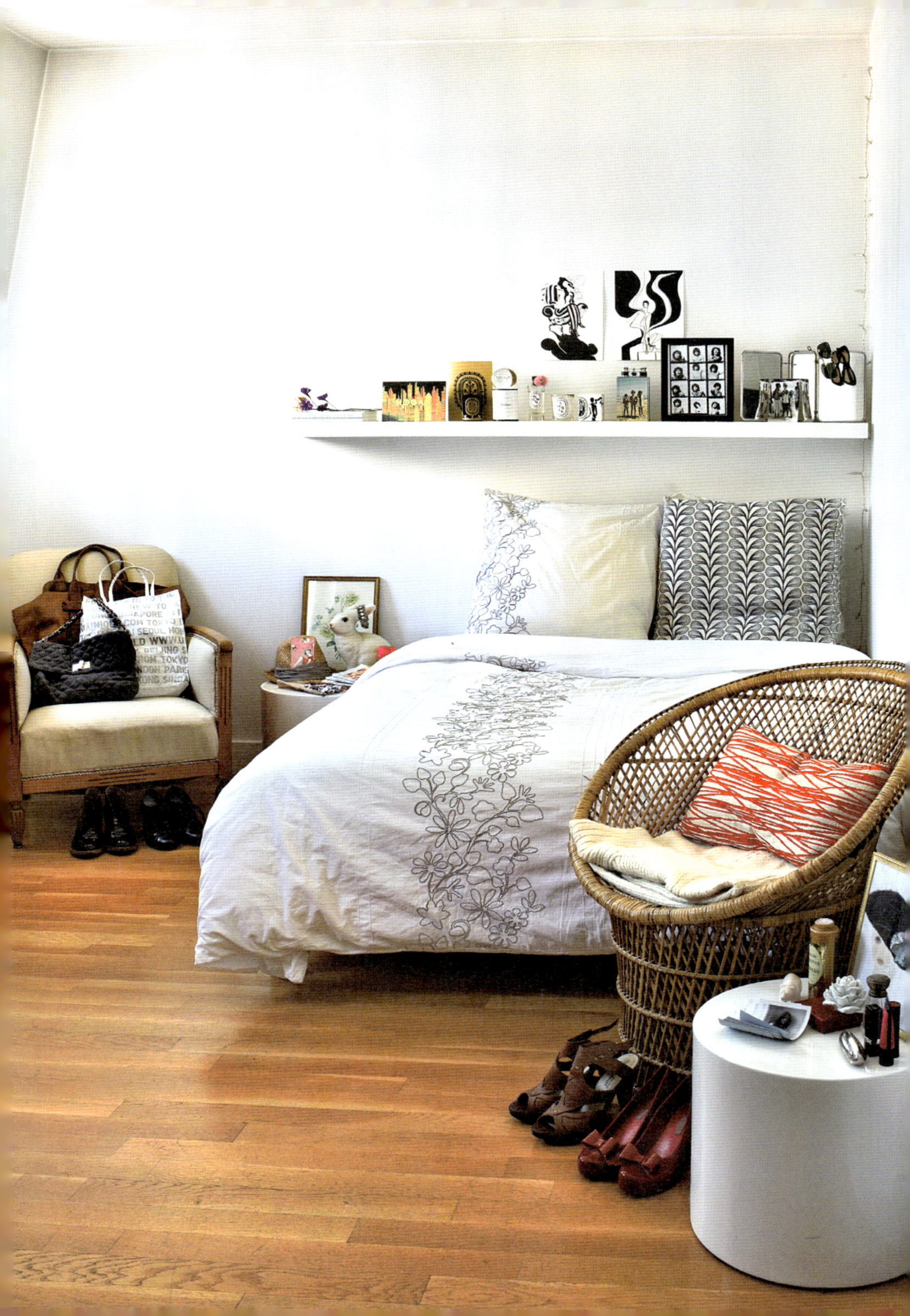

フランスの日刊経済紙「ラ・トリビュンヌ」の編集長と知りあうという、幸運なめぐりあわせでジャーナリストの道へ進んだというジュリー。いまは「ラ・トリビュンヌ」の本紙に週1回、隔月発行の「ラ・トリビュンヌ＆モア」、そしてインターネットマガジンには毎日寄稿しています。時速100キロでかけぬけるような日々だけれど、人々との出会いを好奇心旺盛に楽しむジュリー。トレンドをよく知るだけに、自分に似合うスタイルや色を大切にしています。だからこそ、本当にお気に入りのアイテムはティーンエイジャーのころから変わらなかったりするのだそう。

上：白でまとめたベッド・コーナーのリネンは「イケア」で。左下：大好きな「ディプティク」のキャンドル。特にお気に入りのミモザは、ルームスプレーも持っています。子どものころの写真は、スペインに行ったときの思い出の1枚。右下：のみの市で見つけた鏡に、サングラスをディスプレイ。

左上：あたたかみのある雑貨が好きというジュリー。おばあちゃんから、古いフレームやボトルを譲ってもらいました。左中：規則正しい毎日を心がけるジュリー。朝は7時に起きて、まずはサイトをチェック。右上：シルバーグレーにペイントした玄関ホールの一角にある、仕事の資料棚。左下：「ラ・トリビュンヌ＆モア」の撮影のために集めた小物たち。右下：コレクションのルックブック。

左上:ジュリーの定番コーナーにかけられているのは、デニムのブルゾンと「A.P.C.」のコート、「シャネル」のバッグ。右上:ヴィンテージのバッグは、ショップやのみの市で。右中:原稿を書くときに欠かせない辞書と、思い出の犬のおもちゃ。左下:フランスのラップ・グループ、NTMに10代のころからずっと夢中。右下:スニーカーは、ジュリーのスタイルに欠かせないアイテム。

左上:「ケンゾー」のショーの招待状と一緒に、ジュリーのふたごのお兄ちゃんとの写真をピンナップ。右上:ひいおばあちゃんから譲り受けた万年筆とライター。左中:「シャネル」のメイク用品のルックブックはポップアップ仕掛け。左下:展示会やパーティなどの招待状は、忘れないように玄関の鏡にはさんで。右下:デニムによくあう「ザラ」のノーカラー・ジャケット。

お花にアニマル、プリント・モチーフの楽しいミックス

Caroline Anthon

キャロリンヌ・アントン
co-créatrice des maillots Albertine

ヴァレンスで、メリヤス生地の洋服とコルセットの
工場を運営していた、キャロリンヌのおじいさんと
その工場で、デザインを手がけていたお母さん。
そんな家族のヒストリーと思い出を引き継いで
妹のアネモヌと一緒に、キャロリンヌは
水着ブランド「アルベルティンヌ」をスタート。
レトロでヒッピーなプリント柄に、ソリッドカラー、
上下を自由に組みあわせできるコレクションを発表。
プリント・ミックスに、楽しくトライできます。

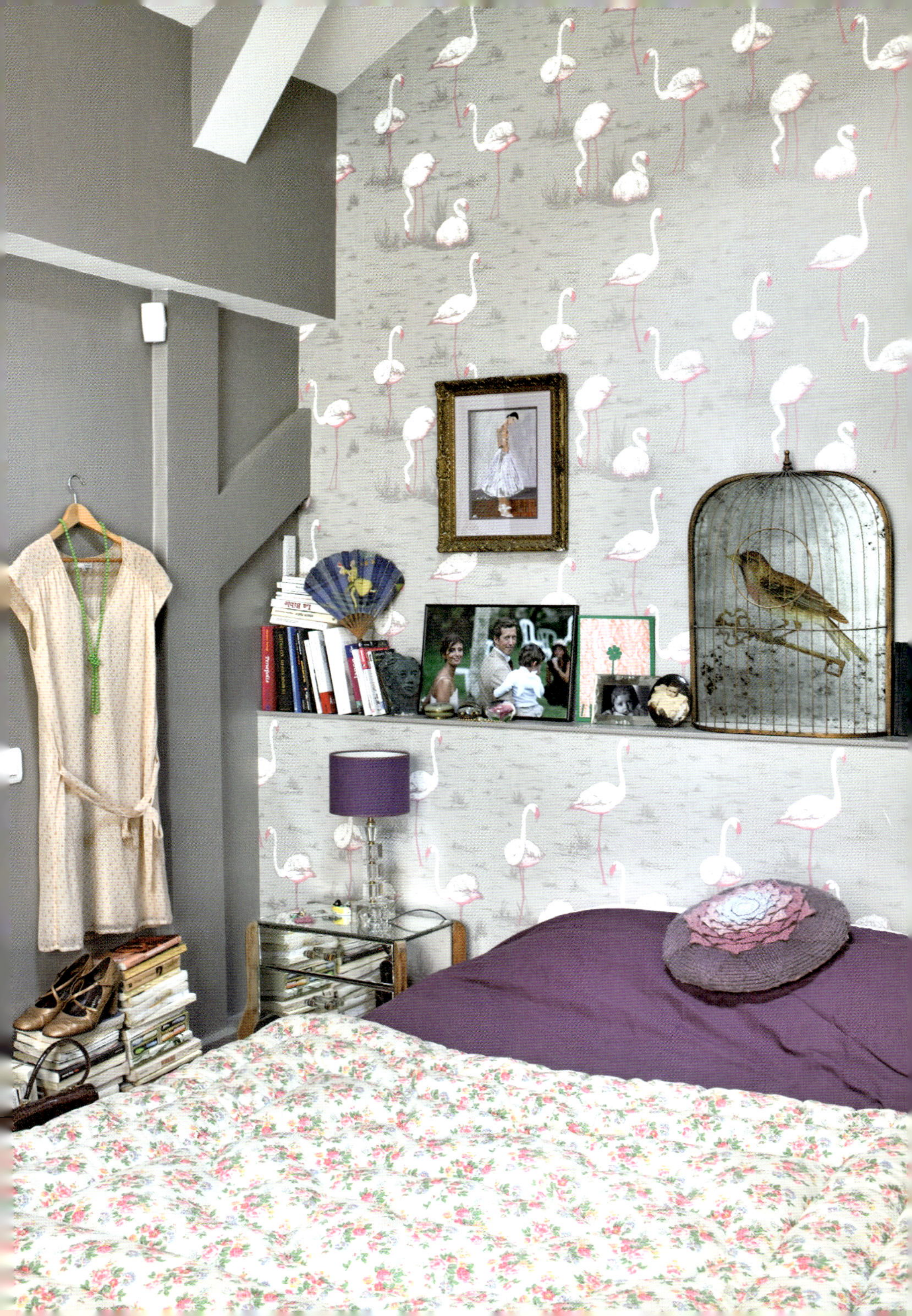

キャロリンヌの住まいは、ベルヴィルに近い小さな通り沿い。以前は配管工事業のオフィスが入っていた空間を、家族の住まいへとリフォームしました。玄関を入ると、すりガラスの大きな窓に面したダイニングキッチンと、空間の差をつけるために1段高く設けたリビング。そしてリビング奥の廊下へ進むと、開放的なバスルームとクローゼット、その奥にベッドルームがあります。お気に入りの洋服はいつも眺めていたいと、マネキンやトランクを使ってディスプレイ。次のショッピングの計画をしたり、コーディネートのアイデアがふくらむクローゼットコーナーです。

左：洋服のディスプレイに使っているヴィンテージのトランクは、花柄のテキスタイルを貼ってリメイク。右下：結婚式の夜からずっとベッドルームに飾ってある、ウェディングドレス。キャロリンヌがデザインして、モンマルトルの仕立て屋さんでオーダーメイドしました。

上：ベッドルームに飾っている絵画はビアリッツ在住のマリアンヌの作品で、アネモヌからのプレゼント。キャロリンヌにまつわるイメージを集めて、コラージュで仕上げてくれたパーソナルな作品。左下：「コール＆ソン」のフラミンゴ柄の壁紙に、ノスタルジックな雑貨をあわせて。右中：2005年の結婚式での1枚。右下：お気に入りの「セルヴァンヌ・ガクソット」のアクセサリー。

左上：「アルベルティンヌ」のカードをピンナップ。左中：水着用の生地サンプル。花柄や、サイケなパターン、チェックなど、さまざまなプリントが揃います。右上：リビングの一角に設けたキャロリンヌのアトリエ・コーナー。左下：デスクの上にはデッサンや生地サンプル、イメージソースなどが広げられて。右下：掲載誌のファイルと、2010年のコレクション・カタログ。

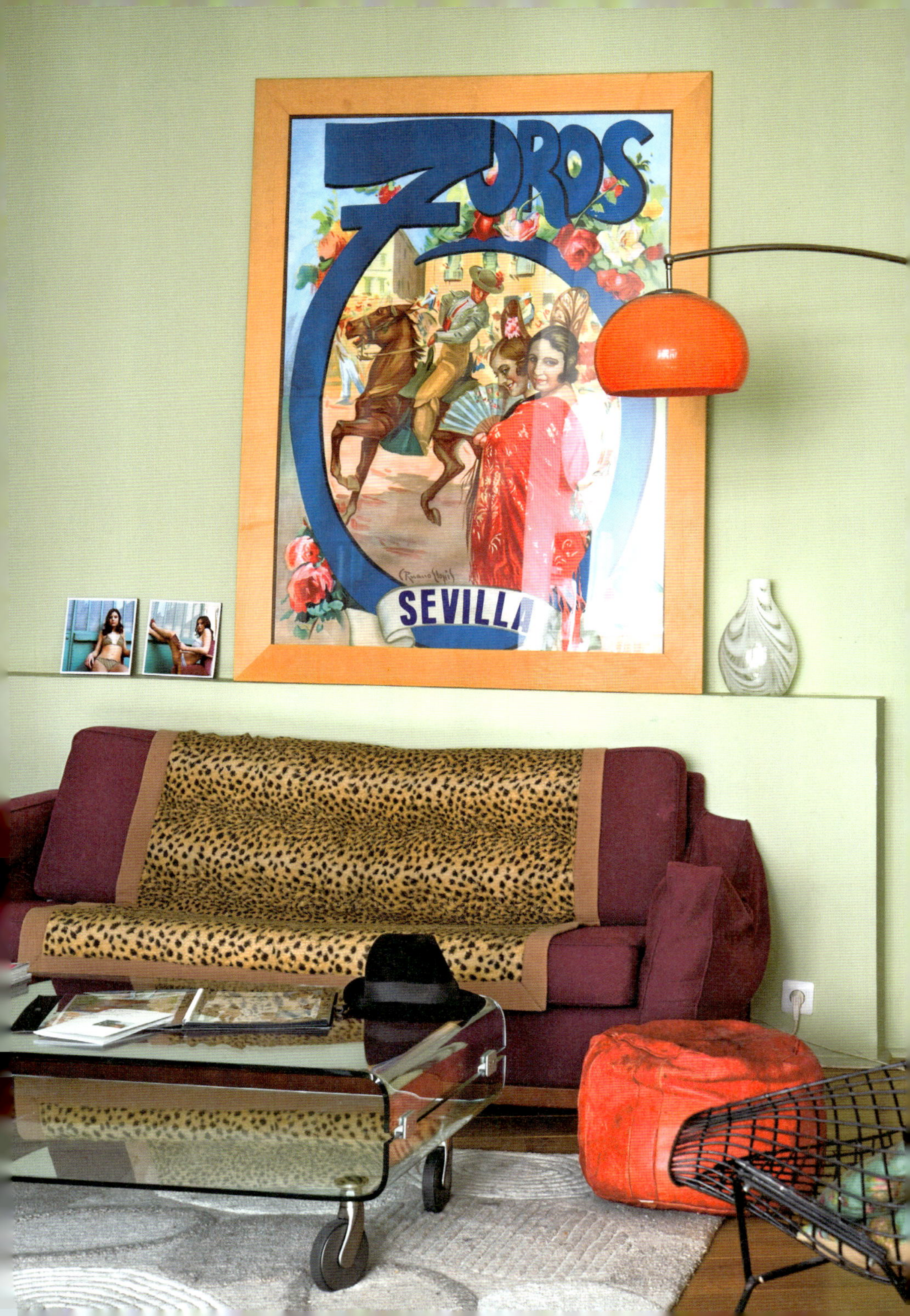
TOROS
SEVILLA

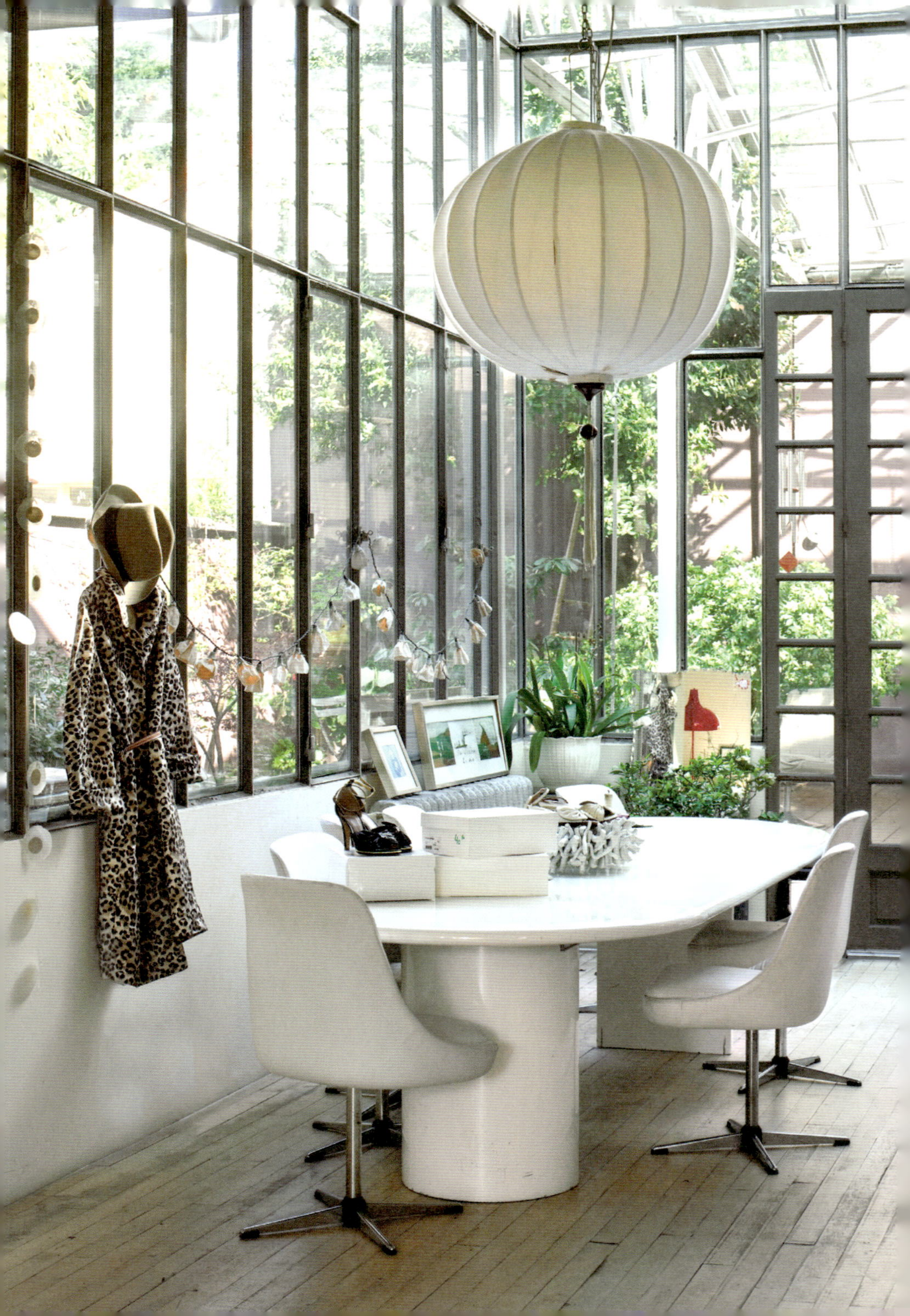

イマジネーションで遊ぶと、ファッションはより豊かに

Nena Woreth

ネナ・ウォレス
créatrice d'Heidi's et
des Sacs de Nena

レースの白いワンピースでロマンチックなヒッピー風
レオパード柄コートとボルサリーノ帽でクールに…。
毎日まったく違った雰囲気のおしゃれをしたいという
ネナは、ファッションで空想することを楽しんでいます。
ショッピングするとき、クローゼットをのぞいたとき
この洋服を着るのは、どんな人物かしら？と
イマジネーションをふくらませて、コーディネート。
そして、その人物になりきってしまうの！というネナ。
イメージすることで、ファッションは自由に広がります。

モントルイユの一軒家に、家族とペットたちと一緒に暮らすネナ。2ブロックに分かれていた倉庫をリノベーションした住まいには、通り側には小さな庭とテラス、そしてウッドデッキの中庭もある、ぜいたくな空間。バッグデザイナーのネナは、ヴィンテージのデザインからインスパイアされた「サック・ドゥ・ネナ」、そして素材にこだわり、限定生産している「ハイジズ」の2ラインを手がけています。ダイニングの横の小さな入り口を入ると、ネナのアトリエ。ここでデザインを考え、同じモントルイユにある工房に預ける前のサンプルづくりを手がけます。

左：玄関ホールにあるクローゼットは、ネナがメタリック・シルバーにペイント。その前にお気に入りの靴を並べてもらいました。右上：手に入れたばかりの「クロエ」の靴はひとめぼれして、黒と白の色違いで購入。右下：アトリエの入り口に置いた水盤に、色とりどりの花を浮かべて。

左上：アトリエのデスクでは、バッグのデザインに取りかかっているところ。右上：中庭に出て、ひなたぼっこ中のミニミ。左中：クリエーションのときは、Tシャツとサルエルパンツという活動的なファッションで。左下：ヴィンテージのバッグは、大切なインスピレーションソース。右下：レザーの質感を大切にしている「ハイジズ」のバッグ・コレクションをディスプレイ。

左上：バスルームには、キッチュなアクセサリーがたくさん。右上：クローゼットの中はヴィンテージに、ハイ・ブランド、そしてプチ・プライスの洋服とさまざま。左下：スイスのチャリティーショップで見つけたチェストの上には、古い絵画を飾って。右中：ネナがママになったことを知ったときに出会った、思い出のテディベア。右下：娘たちからママへの手づくりプレゼント。

ナチュラルな木の質感が美しいクローゼットの扉は、フランスの地方のガレージセールでの掘り出し物。イスの上で遊んでいるのは、ひとなつっこいトートスくん。

シンプルなコーディネートに、アートのエッセンス

Lisa Paclet

リザ・パクレ
réalisatrice et Live Video-Performer

ファッション誌も、友だちとのショッピングも好きだけれど
いつでも自分らしい価値観を大切にしたいというリザ。
彼女のファッションのキーアイテムになっているのが
シンプルなドレスにあわせるだけで、個性をプラスする靴。
ヒールに三角形の穴があいている「シャルル・ジョルダン」。
まるで宙に浮かんでいるような、透明のヒールがついた
ブルーのパンプスは、「マルタン・マルジェラ」。
壁に映し出された、幾何学的な光のシャワーのように
フレッシュで、アーティスティックな感性が光ります。

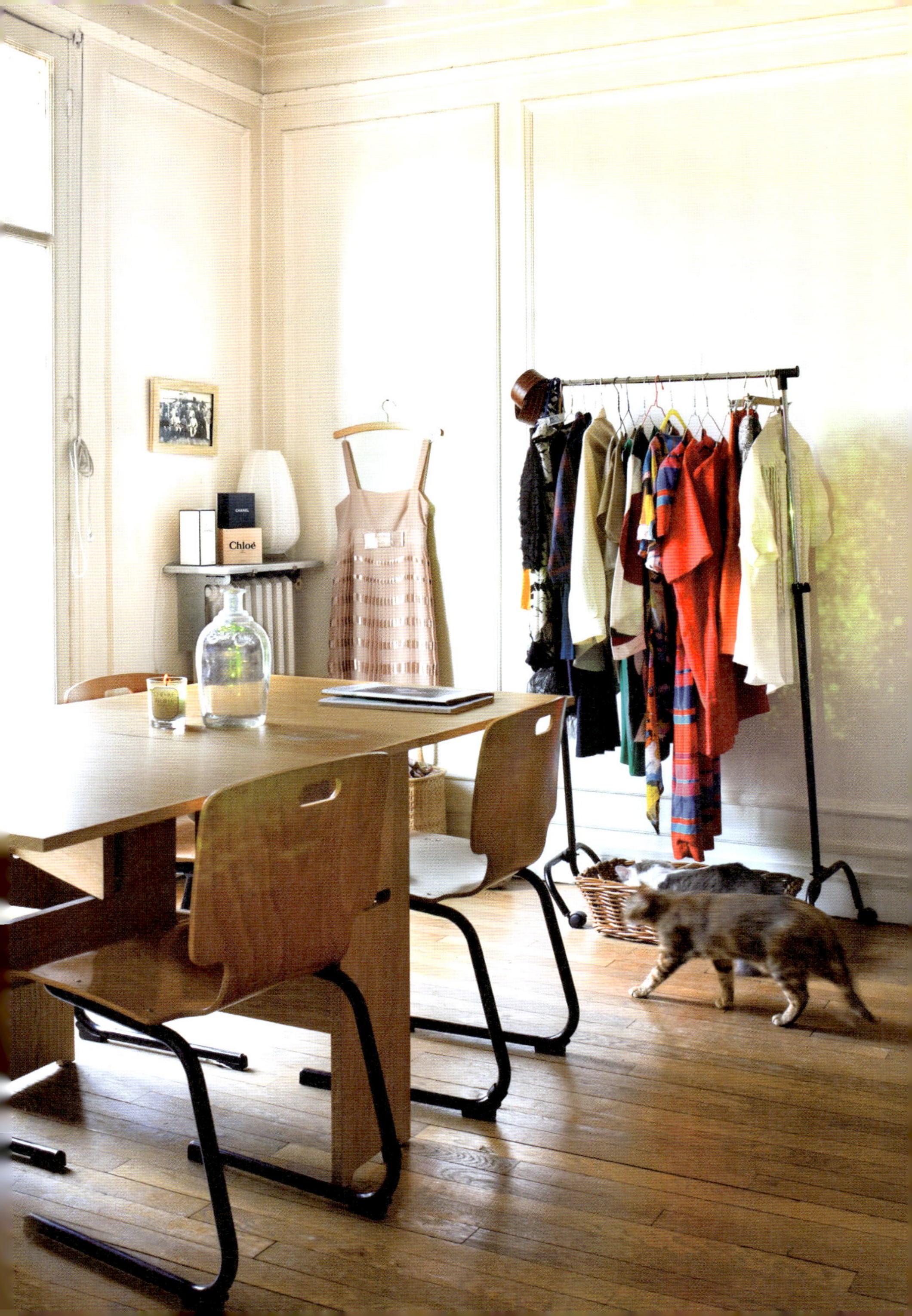
CHANEL
Chloé

短編映画やコマーシャル、ミュージックヴィデオなどを手がける映像ディレクターのリザ。DJの友だちと一緒にユニット「ジェラート」を組んで、イベントやクラブでパフォーマンス活動をスタートさせたばかりです。リザが暮らすアパルトマンは、サンマルタン運河のすぐ近く。午後のある時間になると、運河の水面に光が反射して、リビングの天井に美しい模様を描き出すのだそう。壁をプロジェクター代わりに、作品を映すこともあるリビングはシンプルな白に。ベッドルームはアンディ・ウォーホルのファクトリーをイメージしてシルバーグレーにペイントしました。

左：ウエストリボンが愛らしい「ヴァレンティノ」のワンピースを見上げるのは、ネコのローラン・ムスターシュ。右上：「クロエ」のシルクモスリンのワンピースを着て。右下：壁には19世紀末に撮影されたインドのハンターたちの集合写真。両親からのラジャスタンみやげ。

左上：ご主人のザシャリーがアートディレクションを手がける雑誌。**左中**：イタリアに住むおばあちゃんから譲り受けたワンピース。**右上**：「マルタン・マルジェラ」のワンピースと、友だちから譲り受けた帽子。カンボジアのマップは、ハネムーンの思い出に。**左下**：いつも見えるように、シンプルなラックに洋服を並べて。**右下**：もう1匹のネコ、ミシナは遊ぶのが大好き。

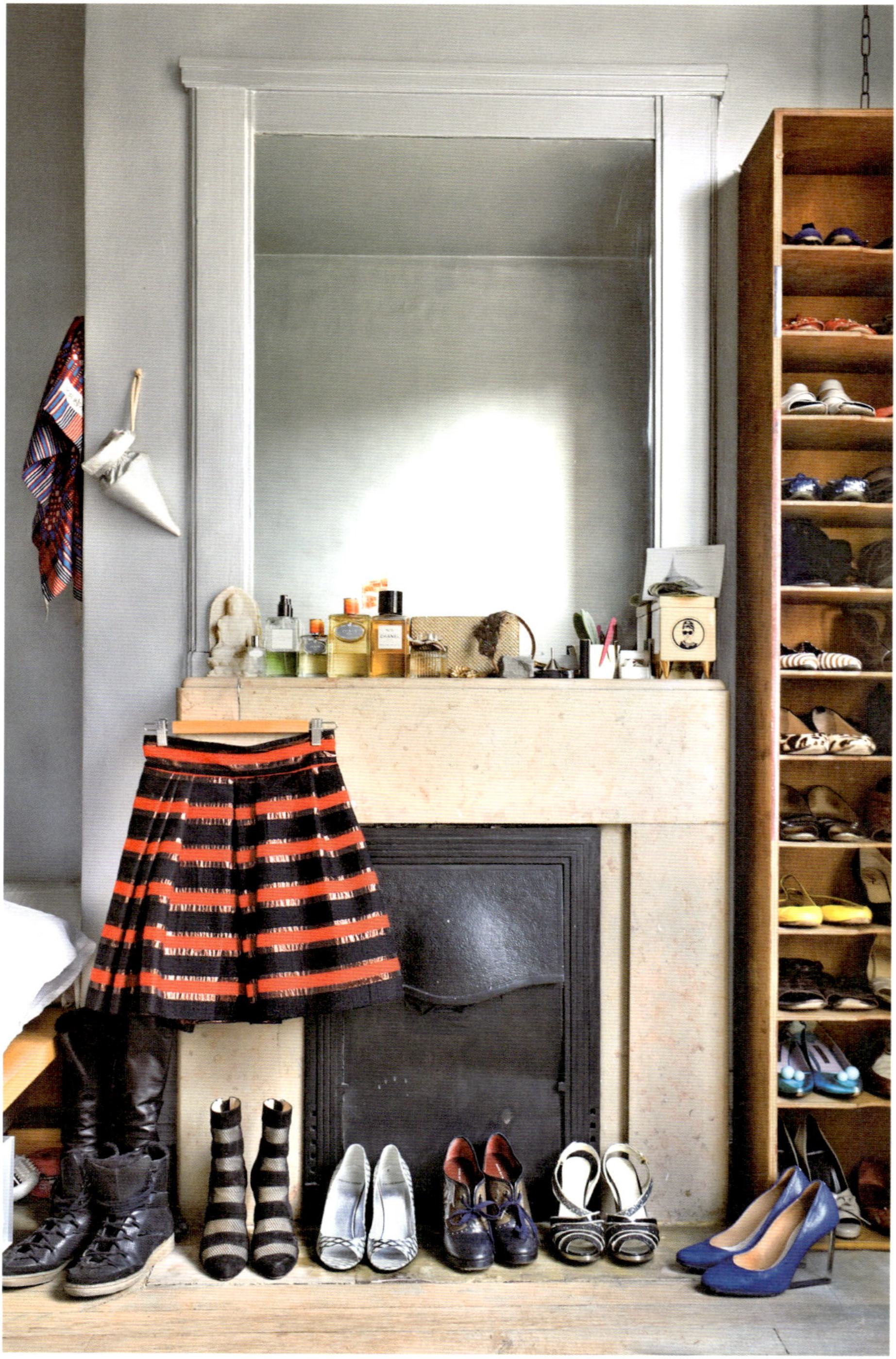

左上：お気に入りのヴィンテージのクラッチバッグや「ミュウミュウ」のカチューシャ、「マラヤン・ペジョスキー」のロングドレスを広げて。右上：愛用の「クロエ」の香水。左中：色別に並べた本の上には「アレクシス・ビッター」のチョーカー。左下：赤でまとめたコーナーは、ブレイクボットのレコードを背景に。右下：ザシャリーが手がける「セルフサーヴィス」を鏡の前にディスプレイ。

シルエットや色、素材選びで、エレガンスに装って

Delphine Pariente

デルフィーヌ・パリアントゥ
créatrice de bijoux

古いオブジェにはファンタジーがあるというデルフィーヌ。
のみの市などで見つけた、古いパーツを組みあわせて
ひとつひとつていねいに、アクセサリーを手がけています。
ノスタルジーとやさしさの中にただよう、不思議な感覚は
その奥にあるストーリーを想像させてくれるようです。
普段のファッションでは、エレガンスを大切にしているそう。
モードは、いつか流行でなくなるかもしれないけれど
エレガンスは、自然と身に付いて美しく見せてくれるもの。
自分に似合うシルエットや色を知ることが大事です。

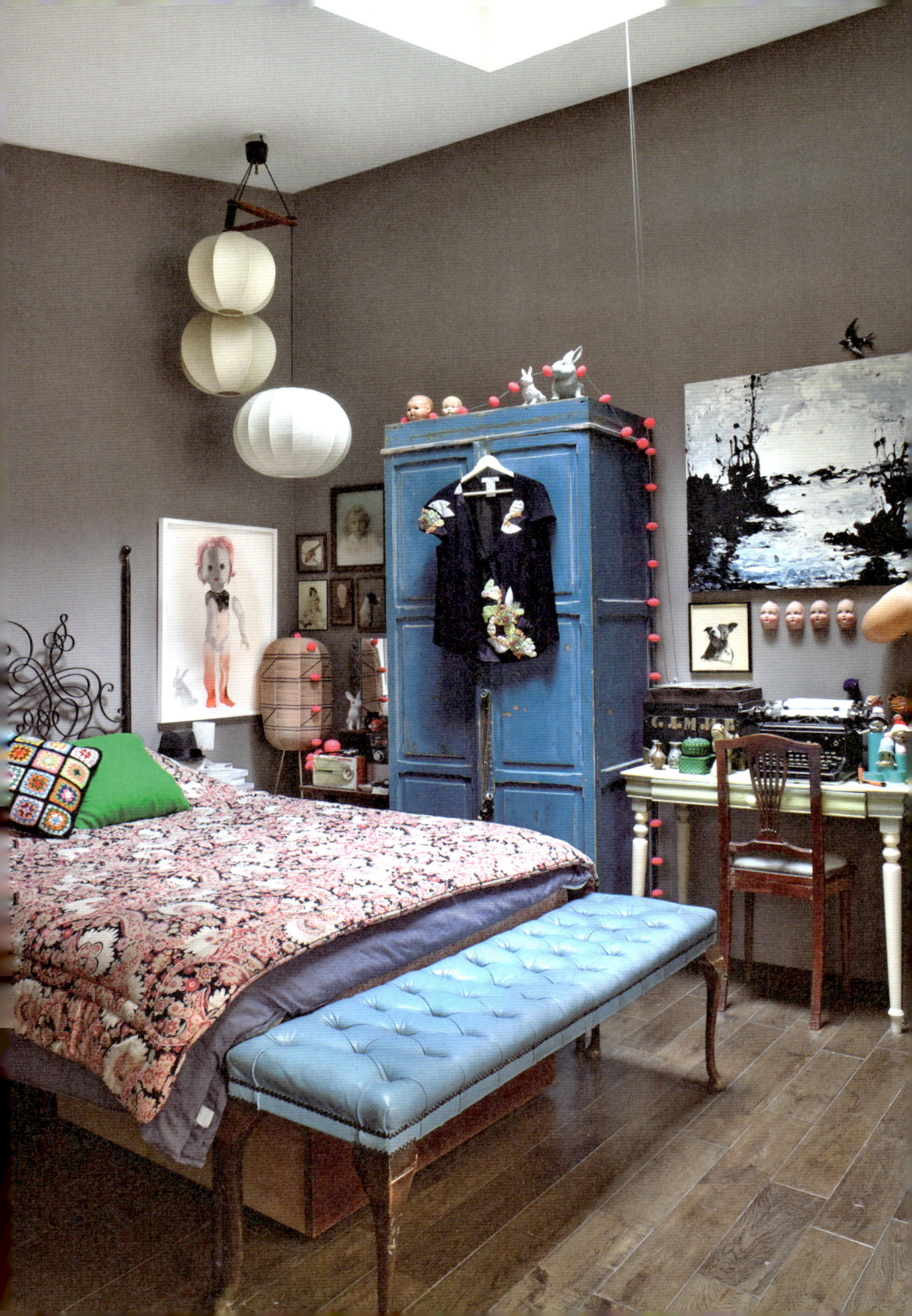

まるで迷路のように小さな通りが入り組んだ、北マレ地区の静かな一角。以前は写真の現像所だったというデルフィーヌの住まいは、ショップのような外観です。リビングやキッチンがある室内から一旦、中庭に出て次のドアを開けるとベッドルームという、ちょっと変わったレイアウト。壁には、洋服と同じでなににでもあわせやすいニュートラルなグレーを選びました。そこに色を添えるのが、クローゼットやベンチなどの家具や雑貨たち。デルフィーヌがその奥にひそんでいる物語を想像せずにはいられないという、古いオブジェやアート作品に囲まれた空間です。

左：シャロンヌ通りにあるアンティーク屋さんで見つけた、美しいクローゼット。右上：画家のフランソワ・ペトロヴィッチとコラボレーションした作品。アンティークの6つのパーツからなるアート・ピース。右下：バスルームのガラスは、昔ブラッスリーで使われていたもの。

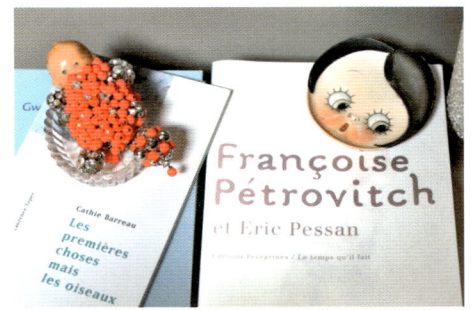

左上：本の上には、ヴィンテージのパーツではじめて作った人形とベティ・ブープのプレート。**右上**：ハンドペイントされた顔の表情に、個性が感じられます。**左中**：ガレージセールで見つけた、着心地のいいジャケットを着て。**左下**：50年代の流れ星型ブローチをあしらったボルサリーノ帽。**右下**：クローゼットのあいだの絵画はガブリエル・ルトーノーの作。タイプライターは手紙を書くときのために。

左上：「よいしょ！」という意味のフランス語「hop」をベッドのそばに飾って。セクシーなベアトップドレスは「クロエ」。右上：陶器の人形を使ったリングと、これからアクセサリーに変身する予定の時計の文字盤。右中：花の形のビーズが女の子らしいポーチをお財布に。下：アパルトマンの入り口近くにあるデルフィーヌのデスク。女の子の絵画は、アレクサンドル・ダーモンの作品。

101

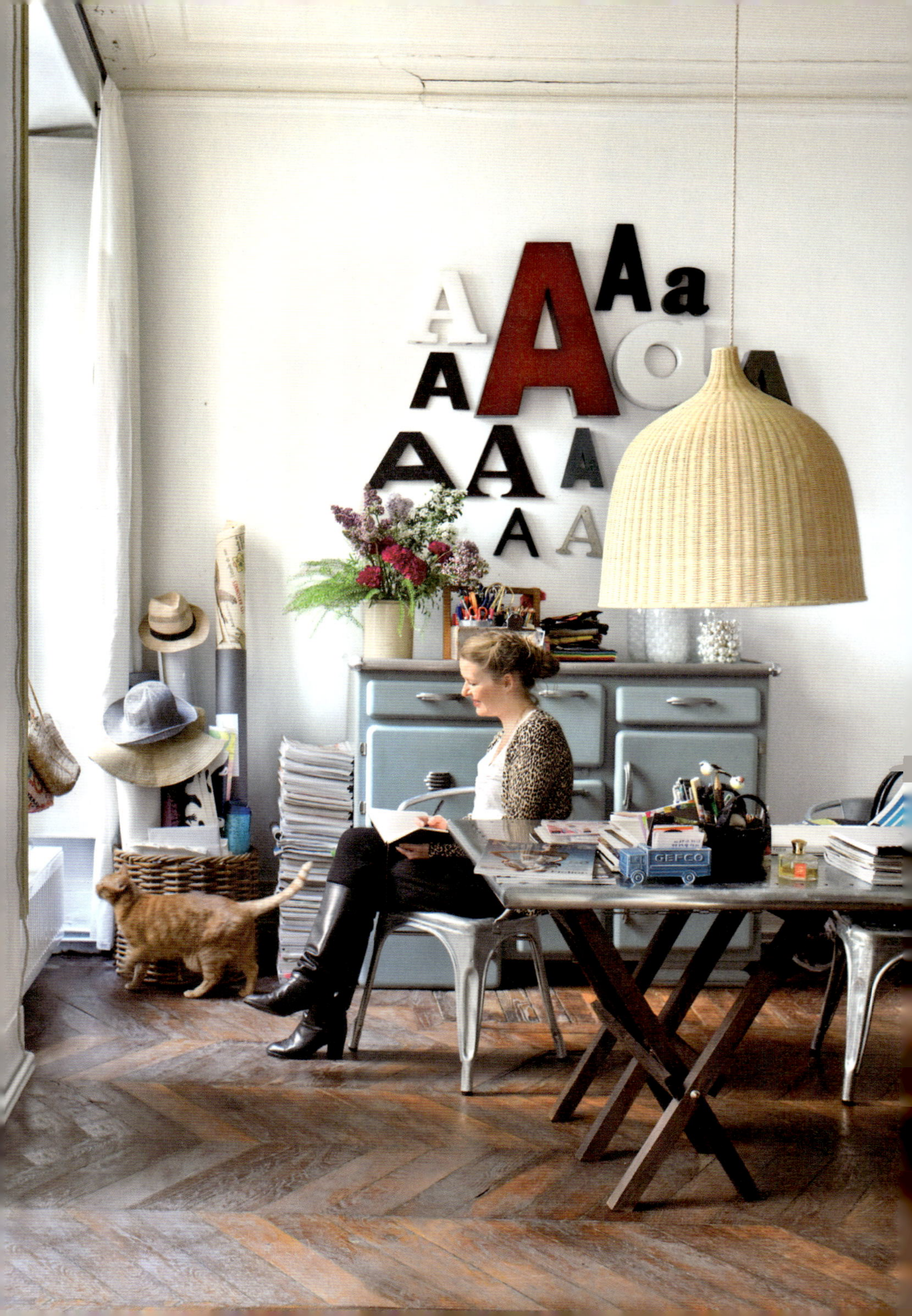
GEFCO

小さなお気に入りたちから生まれる、ひとつのスタイル

Amélie Baudin

アメリ・ボーダン
styliste photo et directrice artistique

アトリエの壁を飾るのは、たくさんの「A」の文字。
リビングの暖炉の上には、大小のキャンドルを並べて。
そしてファッションでも、黒いジャケットの襟元を
お花の形のヴィンテージ・ブローチでいっぱいに。
アメリのスタイルは、なにかひとつのものを、
いくつも重ねたり、積み上げたりすること。
シンプルな部屋や洋服が、小物の取り入れ方で
さまざまにアレンジできて、フレッシュに変身。
お気に入りの積み重ねが、個性を生み出します。

ブティックのウィンドウ・ディスプレイや雑誌のスタイリングを手がける、アメリが暮らすアパルトマンは、レ・アールにほど近い場所にあります。室内はきれいに整えられていたので、壁の色だけを自分で考えたというアメリ。リビングには、ニュアンスがあってあたたかい雰囲気のグレーを選び、ベッドルームは心安らぐ白にペイントしました。もともと古いオブジェ好きで、さまざまなものを見て集めるという仕事にたずさわっていたアメリ。旅先やのみの市など、あちこちで出会った雑貨たちが、アパルトマンの中でバランスよく飾られて、調和しています。

左:花柄の洋服を着るよりも、シンプルな黒いジャケットに、たくさんの花のブローチをあしらって、自分らしい花柄を作る方が素敵というアメリ。右上:ヴァカンス先の小さな島から持ち帰った、パラダイスの思い出たち！右下:クリエーションの素材を、インドのメタルボックスに入れて。

左上：ネコのジンジャーもお気に入りの窓辺の植物は、ノルマンディにあるセカンドハウスから持ち帰ったもの。右上：インスピレーションソースの画集や写真集と、キャンドルホルダーは「ツェツェ・アソシエ」の作。左中&左下：リフレッシュに出かけたインドから持ち帰った、大きなガラスの玉を連ねて作ったアクセサリー。右下：普段からよく灯すキャンドルを、暖炉の上に。

壁面に埋め込むような形になっている、作り付けのクローゼット。そばに置いた教会用のイスは、白い布でカバーリングして、おばさんがプレゼントしてくれたもの。

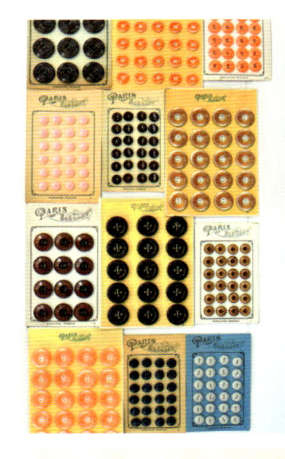

左上：お気に入りの「ミナ・ペルフォネン」のコートや「マルタン・マルジェラ」の靴などが入ったクローゼット。右上：モントルグイユ通りにある手芸屋さんがストックしていたヴィンテージのボタン。右中：バッグは旅先で買うことも多いそう。左下：モノクロをテーマにスタイリングしたときに参考にしたツィギーの本。右下：毛糸をぐるぐる巻きにしたイスの横に、靴をずらりと並べて。

左上：シンプルに白で統一されたベッドルーム。右上：旅先で集めたアクセサリーを飾る手づくりのフレーム。右中：おばさんから、ママ、そしてアメリに引き継がれた大事なマリア像。左下：インドのジャイプールで出会ったガラスパーツを連ねて作った作品「XLペンダント」。シルバーのストラップが個性的な靴は、友だちがデザインしたもの。右下：ママから譲り受けた80年代の靴。

左上：ドアノブもスカーフでおめかし。**右上**：ガラスドームの中に、アート作品のようにおさめられたヴィンテージ・アクセサリー。パリやニューヨークののみの市で探すことが多いそう。**左下**：ベッドのそばには、友だちでアーティストのニコラが手がけたブリジット・バルドーのポスター。**右中**：本を積んだコーナーにちょうちょをあしらって。**右下**：手袋もコレクションしているもの。

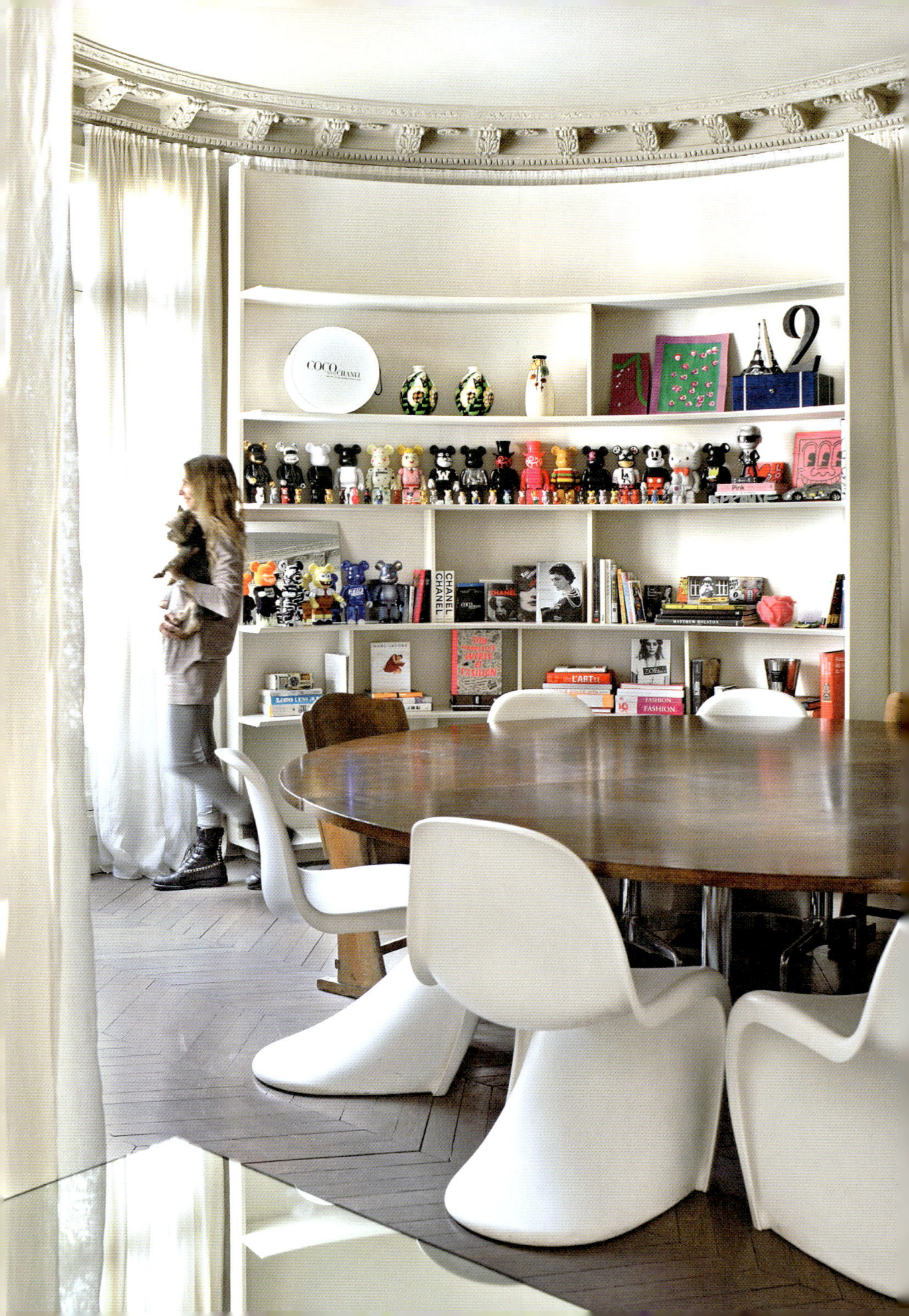

COCO CHANEL
CHANEL
FASHION
FASHION

ドレスにデニム、女の子の夢が詰まったドレッシングルーム

Laure
Pariente

ロール・パリアントゥ
directrice de création
d'American Retro et ZOEtee's

シンプルで、スタイリッシュ、気どることなくシックで
そしてヒッピーだけれど、ちょっとロック、それから…と
たくさんのことばを使って、自分のスタイルを語る
ロールは「アメリカン・レトロ」そして「ゾエティーズ」
ふたつのブランドのクリエイティブディレクターです。
旅に、アメリカ、70年代、そしてヴィンテージが
ブランドのインスピレーションソース。
フィーリングのままにファッションを楽しむロール。
彼女のクローゼットは、女の子のあこがれの空間です。

ニエル大通り沿いにある瀟洒なアパルトマンに、ご主人のダヴィッドと子どもたち、そしてヨークシャテリアのキキと暮らすロール。オスマニアン様式の室内に、50年代の家具やトイ・コレクションをディスプレイしました。シックさとモダンデザインの楽しいミックスは、彼女のデザインとも通じるよう。19歳のときに出会ったダヴィッドと、お兄さんのグレゴリーとともに「アメリカン・レトロ」の立ち上げから参加。そして着心地のいい上質なジャージ素材のアイテムを展開する「ゾエティーズ」もスタートしたロール。モードへの夢はますます広がりつつあります。

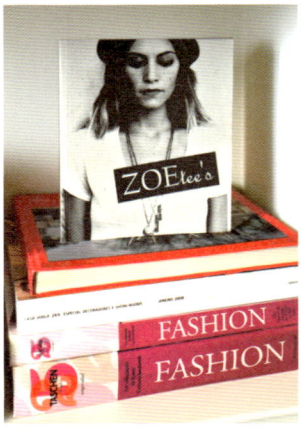

左上：ダヴィッドと一緒にコレクションしているベアブリックの大きなモデルたち。右上：リビングの飾り棚には、ふたりのラッキーナンバー「2」と、コレクションしているおもちゃやアートブックを並べて。右下：ロールがモデルもつとめる、「ゾエティーズ」のルックブック。

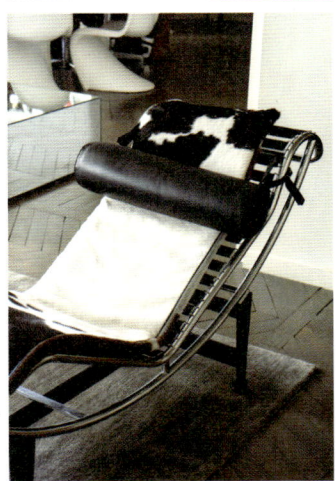

左上：オーガニックコットン100％の「ゾエティーズ」に「ルイ・ヴィトン」のスカーフをコーディネート。左中：ル・コルビジェのソファーはお気に入りの1脚。右上：「ゾエティーズ」の洋服とヴィンテージのブーツをあわせて。左下：ロマン・モリソーの作品は、ケイト・モスのポートレートを彼女がショーに出演したブランドのロゴ・スタンプで描いたもの。右下：ロールだけのオリジナルPCケース。

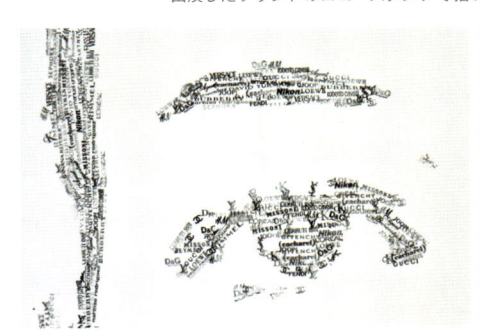

左上：「アメリカン・レトロ」のシルバーラメ・ドレスには、「マルタン・マルジェラ」のブーツを。はしごには着心地がよくてセクシーな「アレクサンダー・ワン」のアイテム。右上：東京で買った帽子と「H&M」のベルト。右中：キャスケットは「CA4LA」、バッグは「ザラ」で。左下：グウィネス・パルトロウとコラボレーションしたタンクトップ。右下：アルファベット・プレートを並べて子どもたちの名前に。

上：黒いテーブルの上は、アーティスティックな展示スペース。50年代のファッションをモチーフにした作品パネルを背景に、白いフィギュアや花器を少しずつ増やしていきました。**左中＆左下**：バスルームの黒い棚の中に並ぶ、香水とマニキュア。**右下**：クリニャンクールののみの市で見つけた「パコ・ラバンヌ」のバッグと、「アメリカン・レトロ」のモノクロ星条旗スカーフ。

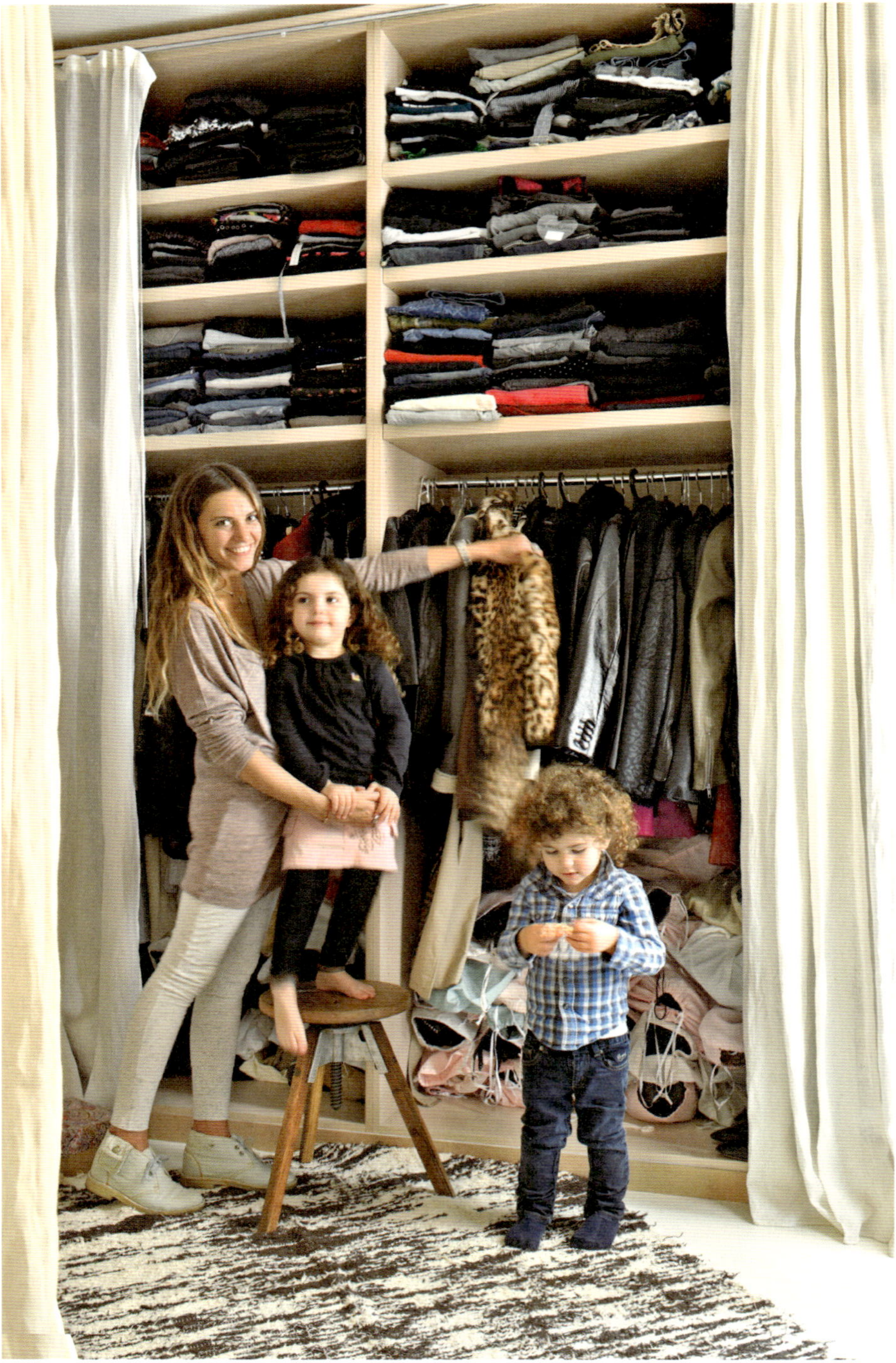

左ページ：ドレッシングルームで、ゾエちゃんとレニーくんと一緒に。**右ページ左上**：ヴァカンス先で小麦色の肌につけたい、ブラジルみやげのネックレス。**左中**：おでかけのときは、すべての指にはめたくなるほどリングが好き。**右上**：デニムだけでも100本以上！ちょっとレトロなハイウエストが多いそう。**左下**：スカーフはフランス軍のトランクの中に。**右下**：どうしても欲しくて探し歩いた「クロエ」の靴。

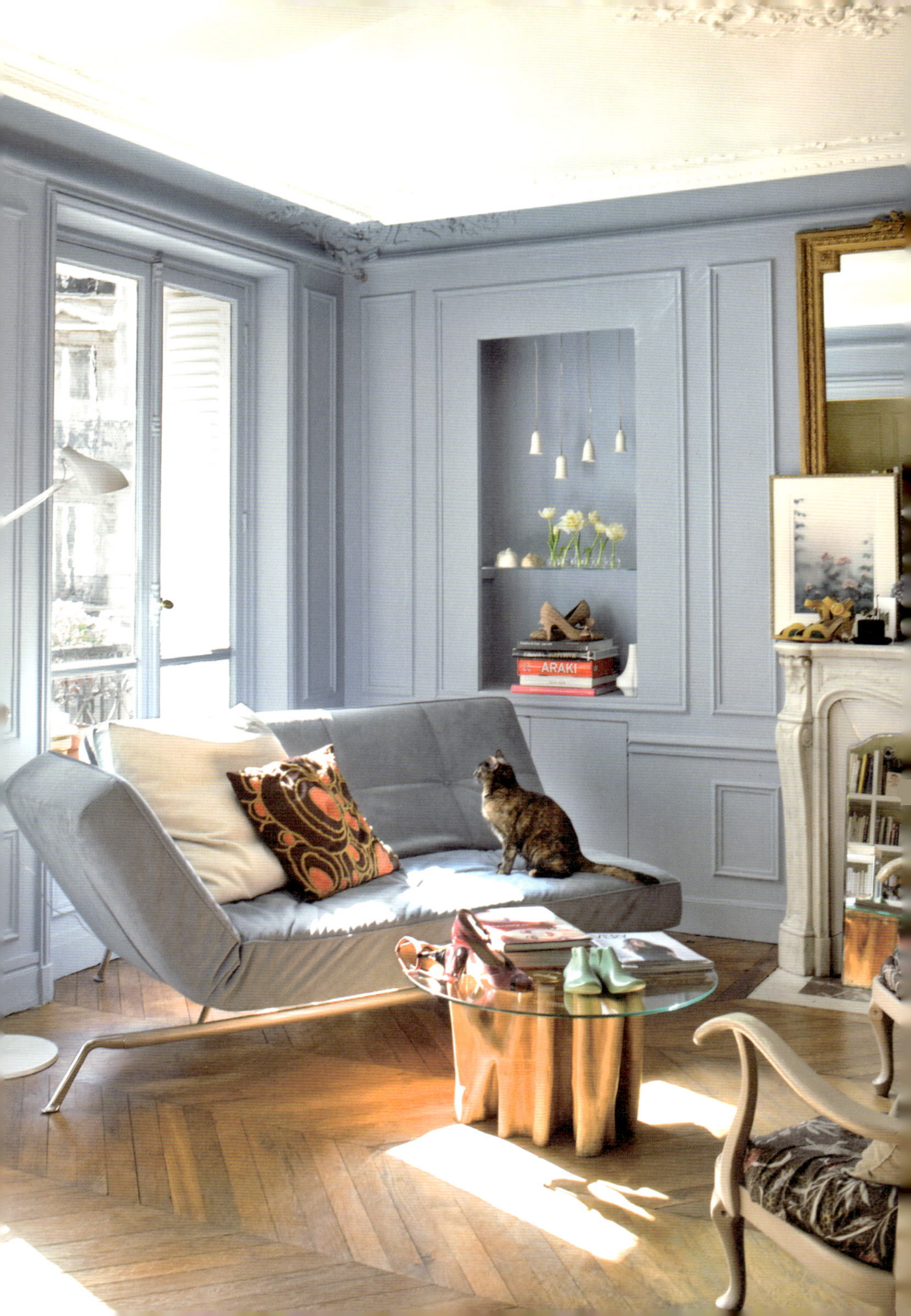
ARAKI

モードとアートと日常のカクテルから生まれるデザイン

Estelle Yomeda

エステル・ヨメダ
créatrice de chaussures

フェミニンなデザインで、うきうきするような楽しさと
コンフォートさを大切にした「エステル・ヨメダ」の靴。
大好きな文学や写真、アート、映画などが、
デザインするときのインスピレーションソース。
どうつながっていくのかは、不思議に感じるけれど
デッサンをするときに、普段から目にしているものが、
エッセンスとして、ほとばしってくるのだそう。
洋服を選ぶときも、女性らしく、心地よいものを。
もちろん靴は、履き心地のいいエステルのコレクションから。

ラン国立オペラ座のコスチューム部門で靴づくりを学んだエステル。自分のブランドを立ち上げてまもなく「ヴォーグ・イタリア」の表紙に取り上げられたり、カンヌ映画祭のレッドカーペットでビョークが履いたりしたことから、広く知られるようになりました。そんなエステルのクリエーションのミューズは、ネコのクキ。エステルはクキと恋人のヴァンサンと一緒に、パリ北駅近くのアパルトマンに暮らしています。パーソナルであたたかく、楽しい雰囲気にしたいと、アパルトマンは、部屋ごとに違う色でペイント。まるで洋服の色あわせのように、わくわくしながら考えました。

上：アトリエのデスクの上に広げられた、クリエーションの道具たち。木型とヒールは、靴づくりの基本であり、大切なパーツ。左下：さまざまなクリエーターとコラボレーションしているエステル。これは2007年のエリック・ジリアのイラスト。右下：表面をレースで仕上げた「ブドワール」。

左上：アトリエの壁は、オークル色に。**右上**：「クリスティーヌ・パルマッチョ」のドレスに、「ルッツ」のカーディガンをあわせて。**右中**：ストラップや飾りのためのリボンやニットのサンプル。**左下**：おばあちゃんから譲り受けたティーカップ。**右下**：誕生日プレゼントにもらったお花の写真の前には、貝がらからインスパイアされたウェッジソールをあしらった「ロミー」シリーズの1足。

左上：50年代のヴィンテージ・ワンピースは、ショップのオープニングでも着た思い出の1着。
右上：フェルト素材のお花のコサージュも、エステルの作品。右中：フランスのエイプリルフール、ポワソン・ダヴリルのカードを集めているエステル。左下：おばあちゃんが使っていたガラス製品。右下：愛用のカルティエの香水と、オープントゥの靴のときは欠かせないマニキュアたち。

クローゼットの扉は、すみれ色の濃淡でペイント。フェルトの素材感がやわらかいドレスは、ベルリンの「ハット・アップ」のもの。

左上：翻訳された全作品を読んだ小川洋子の『まぶた』。右上：中央の『ル・シャ・エ・モア』は、ネコに関する俳句集。ユニークな形のサングラスは、どれもヴィンテージ。左下：おばあちゃんから譲り受けたドレッサーを、ピンクにペイント。右中：スカーフは、外出するときにバッグに必ず1枚は入れて。右下：リングはヴァンサンからの贈りもの、ピンクのネックレスはキューバで。

左上：40年代のボウタイ・ブラウスは、デニムとあわせて。左中：「マジック・サーカス」コレクションの1足。右上：自分で布を張り替えた18世紀のイスにかけたマフラーと帽子は初期の作品。ラフィアのきりんは、マダガスカルみやげ。左下：廊下には「エステル・ヨメダ」のシューズボックスが山のように。右下：お気に入りの「クロエ」と「クリストフ・ルメール」のトップス。

toute l'équipe du livre

édition PAUMES

Photographe : Hisashi Tokuyoshi

Design : Kei Yamazaki, Megumi Mori

Illustrations : Kei Yamazaki

Textes : Coco Tashima

Coordination : Lisa Sicignano, Fumie Shimoji

Conseil aux textes Français : Emi Oohara

Éditeur : Coco Tashima

Art direction : Hisashi Tokuyoshi

Contact : info@paumes.com   www.paumes.com

Impression : Makoto Printing System
Distribution : Shufunotomosha

Nous tenons à remercier tous les artistes qui ont collaboré à ce livre.

édition PAUMES　ジュウ・ドゥ・ポゥム

ジュウ・ドゥ・ポゥムは、フランスをはじめ海外のアーティストたちの日本での活動をプロデュースするエージェントとしてスタートしました。
魅力的なアーティストたちのことを、より広く知ってもらいたいという思いから、クリエーションシリーズ、ガイドシリーズといった数多くの書籍を手がけています。近著には「ベルギーのファミリースタイル」「パリのおうちアトリエ」などがあります。ジュウ・ドゥ・ポゥムの詳しい情報は、www.paumes.comをご覧ください。

また、アーティストの作品に直接触れてもらうスペースとして生まれた「ギャラリー・ドゥー・ディマンシュ」は、インテリア雑貨や絵本、アクセサリーなど、アーティストの作品をセレクトしたギャラリーショップ。ギャラリースペースで行われる展示会も、さまざまなアーティストとの出会いの場として好評です。ショップの情報は、www.2dimanche.comをご覧ください。

Girls Fashion Style Paris
パリ おしゃれガールズ スタイル

2010 年　9 月 10 日　初版第　1 刷発行

著者：ジュウ・ドゥ・ポゥム

発行人：徳吉 久、下地 文恵
発行所：有限会社ジュウ・ドゥ・ポゥム
　　　　〒 150-0001 東京都渋谷区神宮前 3-5-6
　　　　編集部 TEL / 03-5413-5541
　　　　www.paumes.com

発売元：株式会社 主婦の友社
　　　　〒 101-8911 東京都千代田区神田駿河台 2-9
　　　　販売部 TEL / 03-5280-7551

印刷製本：マコト印刷株式会社

Photos © Hisashi Tokuyoshi
© édition PAUMES 2010 Printed in Japan
ISBN978-4-07-274849-7

Ⓡ＜日本複写権センター委託出版物＞
本書(誌)を無断で複写複製(コピー)することは、著作権法上の例外を除き、
禁じられています。本書(誌)をコピーされる場合は、事前に日本複写権
センター(JRRC)の許諾を受けてください。
日本複写権センター(JRRC)
http://www.jrrc.or.jp　eメール：info@jrrc.or.jp　電話：03-3401-2382

＊乱丁本、落丁本はおとりかえします。お買い求めの書店か、
　主婦の友社 販売部 03-5280-7551 にご連絡下さい。
＊記事内容に関する場合はジュウ・ドゥ・ポゥム 03-5413-5541 まで。
＊主婦の友社発売の書籍・ムックのご注文はお近くの書店か、
　コールセンター 049-259-1236 まで。主婦の友社ホームページ
　http://www.shufunotomo.co.jp/ からもお申込できます。

ジュウ・ドゥ・ポゥムのクリエーションシリーズ

パリジェンヌたち30人のかわいい暮らし
petits Appartements à Paris
パリの小さなアパルトマン

著者：ジュウ・ドゥ・ポゥム
ISBNコード：978-4-07-250441-3
判型：A5・本文 128 ページ・オールカラー
本体価格：1,800 円（税別）

手作りが好きなパリの女の子たちの部屋
Appartements de filles à Paris
パリジェンヌのアパルトマン

著者：ジュウ・ドゥ・ポゥム
ISBNコード：978-4-07-266710-1
判型：A5・本文 128 ページ・オールカラー
本体価格：1,800 円（税別）

チャーミングなラブ・ストーリーがいっぱい
Appartements d'amoureux à Paris
パリの恋人たちのアパルトマン

著者：ジュウ・ドゥ・ポゥム
ISBNコード：978-4-07-254982-7
判型：A5・本文 128 ページ・オールカラー
本体価格：1,800 円（税別）

パリの男の子たちの秘密基地へようこそ
Appartements de Garçons
パリジャンのアパルトマン

著者：ジュウ・ドゥ・ポゥム
ISBNコード：978-4-07-270395-3
判型：A5・本文 128 ページ・オールカラー
本体価格：1,800 円（税別）

おだやかでぬくもりのある北欧の暮らし
Stockholm's Apartments
北欧ストックホルムのアパルトマン

著者：ジュウ・ドゥ・ポゥム
ISBNコード：978-4-07-254002-2
判型：A5・本文 128 ページ・オールカラー
本体価格：1,800 円（税別）

おとぎ話の街に暮らす、アーティストたち
Copenhagen Apartments
北欧コペンハーゲンのアパルトマン

著者：ジュウ・ドゥ・ポゥム
ISBNコード：978-4-07-269794-8
判型：A5・本文 128 ページ・オールカラー
本体価格：1,800 円（税別）

www.paumes.com

ご注文はお近くの書店、または主婦の友社コールセンター(049-259-1236)まで。
主婦の友社ホームページ(http://www.shufunotomo.co.jp/)からもお申込できます。